目次

マザコン

空を蹴る

なんだってこんなに車内をあたためる必要があるのか、熱海《あたみ》行きの東海道本線は蒸し暑くすらあり、ふくらはぎは低温火傷《やけど》を起こしているんじゃないかと心配になるほどだ。それでおれは両足をあげ、座席で体育座りの格好になる。それを見て、女はにやにやと笑う。窓の外はとっぷり暗い。駅をすぎると、暗闇《くらやみ》のなか、まばらな明かりが続くだけになる。煙草《タバコ》吸いたいなと女が言い、吸っちゃえば？　とおれは言う。え、いいのかなあ、と女。いいんじゃない、だってここに灰皿あるよ、と、向き合って座る座席の中央部分にある灰皿を指すと、女はちいさな鞄《かばん》から煙草を取り出して、口にくわえ火をつける。セブンスターだった。

むしゃくしゃしていたのでダメもとでナンパをしてみたら、意外なことにうまくいった。居酒屋に連れていって向き合い、まじまじと見てみると女はそれほど若いわけでもなかった。年を訊《き》いたら同い年だった。こういうのってまったく馬鹿みたいだけれど、同い年だと安心する。安心というより信頼に近い。それで、おれたちは子どものころに好きだったアニメとか、歌謡曲とか、漫画とか、校則とか、服装だとか、そういったものごとについて、うちとけて話しながら酒を飲んだ。しょぼい話題だと思うけれど、初対面の女と話すことなんてそうそうはないのだった。

居酒屋に入ったのが六時ごろで、八時前にカラオケに誘ったんだけれど断られ、女はそのまま帰るのかと思ったら、海が見たいとぬかした。ちょっといっちゃった女なのかと思ったが、至極まじめに、熱海にいい宿があるからこれからそこにいこうと言う。それもいいかもなとおれは思った。そんなのもいいかもな、と。それで、八時二十二分東京発の東海道本線に乗ったのだった。

切符の検札にきた車掌が、女の喫煙をきつくとがめる。禁煙ならなんで灰皿があるんだよう、と女が言うかと思ったが、照れ笑いをし急いで火を消した。おれらは切符を車掌に差し出す。車掌が去るとやっぱだめだったねと女は首をすくめて見せた。

今日は熱海に泊まって、あした、どうしよう。女が笑いかける。伊豆でもいく？　下田なら、おれ泊まるとこ知ってるし。と、言ってみる。本当は下田なんかガキのころにいっただけだけれど、なんとなくそう言うのが礼儀であるような気がした。

下田もいいけど、初島にいきたいな、船で。女は身を乗り出し、おれのももに手をのせる。初島の次は大島がいいな。あたし大島にいきたいな。

大島って島？　おれが訊くと、島だよう、大島だもん、女は言って笑う。ちいさな

たった。薄甘いような草のにおいが、夜気とともに車内に入りこんでくる。ぴりりと笛の音がホームに響き、ドアは静かに閉まる。電車は走り出す。


鞄からのど飴《あめ》を出し、ひとつをおれにくれる。苦甘いへんな味の飴だった。

電車が停《と》まり、ドアが開く。だれも降りず、だれも乗ってこない。薄甘いような草のにおいが、夜気とともに車内に入りこんでくる。ぴりりと笛の音がホームに響き、ドアは静かに閉まる。電車は走り出す。

おれと同い年の目の前の女——エノモトヒロコと名乗ったが嘘《うそ》かもしれない——、この女もおれと同じような感じで日々を過ごしてきたんだろうとなんとなく思う。女が醸し出す安心感、おれが女に感じる親近感は、同い年だからというものだけではなくて、なんだかもっと近しいものに思える。たとえば中学生のころには不良にあこがれて眉毛《まゆげ》を剃《そ》り落としたり鞄を湯につけてつぶしたりし、けれどシンナーだのトルエンだのになるとびびって手が出ず、高校生のときはかって眉毛を剃り落としたことをひた隠しにし、親のカードでデザイナーズブランドの服を買いあさり、結局親にののしられてカードを取り上げられ、徒党を組んで都内をうろつき金がねえとそればかり言い、三年時に人が変わったように勉強して受験し、高校のクラスメイトが周囲にいない大学で阿呆《あほう》のように遊び暮らし、飲んだノリで海にいったり遠出をしたりし、凧《たこ》揚《あ》げだの花火だのに子どもみたいに熱中し、見知らぬ他人をこわがらず家にひっぱりあげて気やすく性交して、翌日の飲酒で内省に蓋《ふた》をするような、それで自分はとてつもなく自由だと感じるような、そういう日々を送ってきたんだろう。

今、何してんのよ？　と居酒屋で女に訊くと、派遣社員をしていると答えた。未婚か既婚か尋ねると、それには笑って答えなかった。なんにも見えない窓の外を見据えている女をちらりと見て、きっと未婚だろうとおれは思う。同棲《どうせい》経験が一度くらいはあって、現在は年下の男とあまり濃くない交際をしている。それで、日常に倦《う》んでいる。おれは勝手に推測する。だって海が見たいだもんな。わくわくして切符を買っていたもんな。

次、熱海だよ、女が言い、おれは網棚にのせていた薄っぺらいデイパックをおろし、背負う。女はおれたちが食べ散らかした冷凍蜜柑《みかん》のくずをかき集めている。

熱海駅からタクシーに乗った。旅館の名を女が告げ、タクシーは海沿いの道を走り出す。浴衣《ゆかた》に丹前姿の男女が、数人うろついていた。みな中高年だった。タクシーの窓からじっと目をこらしてみても、海はどす黒いだけで夜道とまったくかわりがなかった。海沿いに、カラオケボックスのにぎやかな明かりを見つけ、おっ、カラオケがあるとおれは思わず口にする。

何、カラオケカラオケって、そんなに好きなの？　隣の席で女が笑う。おう、好き好き、チェックインしたらカラオケしようぜ、おれは言うが、女はでへへと聞こえる声で笑うだけだった。

海沿いの道を七、八分走って、タクシーは温泉旅館の敷地に入っていった。白熱灯が、旅館名の書かれた看板と、入り口へと続く木立を照らし出している。三階建ての割合まっとうな和風旅館だった。タクシー代は女が出した。

こんな時間にチェックインできるのかいぶかしんでいたが、何も問題はなかった。夕食はとっくに終えているので朝食だけになると、和服姿の中年女が説明しただけだった。

二階の部屋に通される。障子を開け窓の外に目をこらす。どす黒い海が広がっているが、波の音は届かない。茶を入れにきた仲居と女は親しげに言葉を交わしている。仲居が去ると、部屋は静まりかえった。女はコートを着たまま座布団に正座し、茶を飲んでいる。なあ、カラオケいかない？　もう一度誘ってみると、顔をしかめそれには答えず、これ飲んだら温泉入ってくるわ、と言った。そうして茶を飲み干すと、てきぱきとコートを脱ぎ、浴衣とタオルのセットを持って部屋を出ていってしまった。

おれは窓の枠に腰かけて、女のコートとちいさな鞄を見た。座布団の横で、赤いコートは二つ折りにされ、その隣に投げ出されたように鞄がある。鞄のなかを調べてみようかとちらりと思う。飲み屋から熱海にいこうと言った女の正体が、何かわかるかもしれない。立ち上がり数歩鞄に近づいて、そこで立ち止まる。けど女の何を知りたいんだろう？　本名か、既婚未婚の別か、年下の恋人とのメールのやりとりか。なんにせよ、何かを知るということは何かを負うことと同義で、自分はなんにも背負いたくなんかないのだと今さらながら気づく。

　仲居の入れていった茶を飲み、菓子皿にのった饅頭《まんじゆう》を食べ、テレビのスイッチを入れた。いつも部屋で見ているのと同じ番組が流れている。

　昨日、おれはこのテレビ番組を見なかった。慎也とカラオケ屋にいたからだ。慎也を誘ってカラオケ屋にいったのは、昨日が最低の一日だったからだ。慎也の野郎はいつものように古くさい歌ばかりうたった。スライダーズはまだいいとしても、ボウイだの岡村だのにはあきれ果てた。それで口汚くののしってやった。数年前だったら慎也はきれて殴りかかってきただろうに、へらへら笑って薄いレモンサワーを飲んでいた。

　おれがリップだのバンプだのＳＵＭ41だのうたうのを聴いて、おまえさあ、そういうの、どこで覚えんの、と慎也は訊いた。借りんだよ、ビデオ屋で。教えてやると鼻を鳴らして笑った。よくやるね、いいおっさんが。同い年のくせに慎也は言って、むかついたから灰皿を投げつけた。慎也はそれをうまいことよけ、灰皿は壁にあたって落ちた。おまえさあ、やめなさいよそういうの、もういいおっさんなんだから。そう言ってへらへら笑いやがった。てめえはおっさんかもしれないがおれは違う、と言うと、はいはい左様でございますね、慎也は言い、ブルーハーツを歌いはじめた。ブルーハーツはねえよブルーハーツは。おれは言ったが、慎也は気持ちよさげに熱唱していた。結局、四時間もカラオケ屋にいた。帰宅したのは午前二時だった。

部屋の隅にたたまれた浴衣を見て、おれも風呂《ふろ》にいってみようかと思うが面倒くさい。座椅子《ざいす》に座ったまま冷め切った茶をすすり、家でいつもそうしているようにただぼんやりと画面を見る。

十二時近くになって女は風呂から戻ってきた。化粧を落とすとさらに老けて見えた。眉だけなぜかきちんと描かれている。

なあ、散歩しようぜ。おれは言った。ええ、そんなにカラオケいきたいの？　女が訊く。カラオケはもういいよ。散歩しようぜ、海のほう。しつこく誘うと、しばらく考えてから、そうだね、と女は笑った。

旅館のサンダルをつっかけて、おれは女と並んで歩く。三穂子のことを思い出す。二十一のときから五年つきあった。よくこんなふうに夜道をいっしょに歩いた。たいていどちらも酔っぱらっていて、三穂子はよくすっ転んでいた。すっ転んで笑っていた。道路に寝たこともある。性行為に及んだこともある。挿入前に、タクシーにクラクションを鳴らされたけれど。そんな三穂子も、今では退屈な会社員になった。会うたびに説教する。あんた今何やってんの、ばっかじゃないの、あんたそんなんでどうすんのよ？　とことん見下す目つきで言う。きっと会社でつらい思いをしているんだろう。若い女たちからお局《つぼね》とか呼ばれ、男性社員から中途採用と馬鹿にされ、上司からセクハラを受けているんだろう。そうじゃなかったらあんなふうに人を小馬鹿にしたりしない。三穂子はそういう女じゃなかった。

浴衣姿の女は、サンダルをぺたぺたと鳴らして歩く。丹前の袖《そで》を前にして、右手を左の袖口に、左手を右の袖口に突っ込んで。エノモトヒロコってほんとの名前？　と沈黙に飽きておれは訊く。そうだけど？　女は語尾をあげて言い、笑う。笑いがおさまると鼻歌をうたった。それほど寒くないのに、吐く息が白い。だんだん波の音が近づいてくる。あんまり下手《へた》だったから気づかなかったが、女が歌っているのは昨日慎也がカラオケで歌ったブルーハーツだった。

好きなの、ブルーハーツ？　訊くと、うん、好きだった、と女は答える。おれ、ビデオになってるライヴ見たぜ、日比谷の、鉄柵《てっさく》の。ほんと？　あたしも見てたよ、と女は目を見開いて言う。どこどこ、席、どのへんだった？　えーとね、右の、二ブロック目の、真ん中へん。へえ、おれもそのへんだったけどなあ。おれたちは少し興奮して言葉を交わす。ラフィンのね、ライヴのあとだったからね。そうそう、死んだからね。案外隣の席だったりしてね。おう、ありえるありえる。

なんだか、ライヴを見ていたころから数カ月しかたっていないような気がした。そんなふうに思わせる空気が女にはあった。海だ！　女はいきなり叫んで、街灯が照らす夜道を走り、車道を横切り、浴衣の裾《すそ》をたくし上げてガードレールをまたぎ、暗い海へと向かっていった。女のあとを追っておれも走る。ガードレールを飛び越えて着地すると、足が砂に埋もれて転びかけた。体勢をなおして、なおも海に向かって走る女のあとを追う。砂地はふわふわしているくせに、足を飲みこむように重い。遠く目を凝らしても、海と空の区別がつかない。どれだけ走っても、足は砂に埋もれ前に進んでいる感じがしない。女は走りづらさを感じないのかどんどん海に近づいていく。ぼんやり浮かび上がった女の浴衣の裾が少し先でゆらゆら動いている。

おれと女は防波堤に寄りかかって座り、一本ずつ煙草をふかした。どーん、どーんと、低く突き上げるような波の音がすぐそばで聞こえる。暗闇のなか、波の縁が白くうねうねと動いている。女の浴衣の裾は濡《ぬ》れて、砂まみれになっている。おれはふと、昨日のことを女に話したくなった。昨日の、カラオケではないほうの最低話だ。

昨日おれは実家に忍びこんだ。今やだれも住んでおらず、取り壊されるのをひっそりと待っている家に、こそこそ忍びこむ必要もないのだが、目的が目的だったから知らず知らずびくついた態度になった。ものを盗みにいったのだ。換金できそうなものを、勝手に持ち出すためにいったのだ。

鍵《かぎ》を開けてなかへ入ると、不気味なほど静まりかえっていた。木の古びたようなにおいがした。ひとりで暮らしていた母が病院に移ったのはつい数週間前のことなのに、すでに人の気配がまったくしなかった。靴を脱ぎ上がり框《かまち》に足をのせると、みしりと重苦しい音がした。

廊下を進んで右に台所と食堂があり、左に和室がある。食堂のカーテンは閉まっていて、和室の障子も閉ざされていた。おもての光が障子をいやに白く光らせていた。

何もかも、母親が住んでいたときのままだった。母は病院へいったのではなくて、ちょっと近所まで買いものにいっているようだった。小学生のとき、風邪《かぜ》で学校を休んだ日の家のなかがちょうどこんなふうだった。自分の部屋で目覚め、人の気配がしないから不安になって階下へ下りる、するとそこにはだれもおらず、ひんやりと静けさが広がっている。不安はどんどん大きくなって子どものおれは冷蔵庫を開けたり閉めたり、カーテンを開けたり閉めたり、テレビをつけたり消したり、そんなことをむやみにくりかえして、そうするとかちゃりと鍵のまわる音がし、母親が顔を出す。おれを見つけ、甲高《かんだか》い声を上げる。ナオちゃん寝てなきゃだめじゃないの。

二階へ上がり、向かい合ったおれと兄貴の部屋を素通りし、つきあたりの右にある和室までいく。母親の寝室だった部屋だ。この部屋の障子もまたぴたりと閉まり、射しこむ陽で部屋じゅうが白く光っていた。和箪笥《わだんす》に近づき、観音開きの戸を開ける。長細い着物専用の棚を引き出し、中身を出していく。今にも鍵をまわす音がし、寝てなきゃだめじゃないのと母親の甲高い声が届いてきそうだった。

持ってきたナイロンのバッグにめぼしい着物をつっこんでから、向かいの物置部屋へいき、衣類やハンドバッグを確認し、母が後生大事に持っていたジュエリーボックスを捜した。この部屋の衣類はほとんどすべて、型が古かったり部分的に変色していたりして、金になりそうになかった。鞄類にもめぼしいものはない。ジュエリーボックスを見つけだすため、床に積み重ねてある段ボールや衣類ケースを次々と開けていったが、おれと兄貴のランドセルだの、卒業アルバムだの、七五三の衣装だの、八年前に死んだ父親のネクタイの束だの、革のひび割れた野球のミットだの、そんなどうでもいいものばかりがごろごろ出てきて、次第に気が滅入《めい》ってきた。母親はなんだってこんなものを捨てずに抱えこんでいたんだろう。どうするつもりだったんだろう。この家を取り壊す前夜に、おれと兄がこの狭い物置部屋で膝《ひざ》をつき合わせ、思い出の品を取り出してはなつかしいと言い合って涙するとでも思ったんだろうか。記念にと、わけ合って持ち帰るとでも思ったんだろうか。おれがものを盗みに入らなければ、だれにも触れてもらえなかった古びた品々。おれはそれらをかき分けて、あのちいさな七宝焼きのいれものを捜した。

上の棚に置いてあった、これまた古めかしいスーツケースのなかに、母のジュエリーボックスはあった。スカーフや革の手袋や、手紙の束や封を開けていないストッキングといっしょに、その小箱はあった。おれはそれを取りだし、なかを調べた。立て爪《づめ》に石の入った指輪や、ちいさな光る石が一面に施された指輪や、大ぶりの石のイヤリングや、金や銀や真珠の首飾りや、鼈甲《べっこう》の髪飾りや、とにかくいろんなものがごちゃごちゃと入っていた。宝石の類《たぐい》について何も知らないが、昔、母がうっとりしてこの箱を眺めていた光景は覚えている。しかし母がこれらを身につけているところはあんまり見たことがない。

その箱もナイロンバッグに詰めこんで、ほかに何かめぼしいものはないかと家じゅうをさまよい歩いてみた。和室の掛け軸や、壺《つぼ》や花瓶なんかにも目をつけたが、それはまた後日とりにこようと考えた。罪悪感はまるでなかった。金に困っていたし、それにおれが持ち出さなければ、ここにあるものはすべて家とともに壊され、解体され、どこかに運び去られて廃棄されるだけなのだ。

ぱんぱんに膨らんだナイロンバッグを抱え家を出た。家のなかはあいかわらずひっそりとしていて、切り込みを入れるような斜めの陽に、舞い落ちる埃《ほこり》がちらちら光っていた。玄関の戸を閉めるその一瞬、新聞を持ったままトイレから出てくる父や、電話のコードを指にまきつけ気取った声を出す母や、何かちいさなおもちゃを取り合って騒ぐ幼い兄とおれの姿なんかが、幻みたいに浮かび上がってどきりとした。けれど数度のまばたきでそれらは一掃され、ただ捨て置かれた古い木造二階建てが目の前にあった。おれは思い切り戸を閉めて鍵をかけ、バス乗り場まで走った。ＪＲの駅前でバスを降り、そのまま都心に戻ってきて、数度いったことのある質屋へ直行した。

質屋が提示したのは、三時間のカラオケ代金になるかならないかくらいの金額だった。石は全部ガラス玉だし真珠はイミテーションで、着物も値の張るようなものは一枚もない、らしかった。おれは一瞬、兄と兄嫁を疑った。すでにめぼしいものは二人でかっぱらったのではないかと思ったのだ。でも、まさか。すぐにうち消した。母が何か高価なものを持っていたと思うほうがおかしいのだと、そのときになっておれは気づいたのだった。どうしますか、お持ち帰りになりますか、と、どちらかといえば持って帰ってほしいような口ぶりで質屋は言い、おれは反射的に、いいやその金額で置いてくよ、と喧嘩《けんか》を売るように言っていた。たぶんあの家には、高額で引き取ってもらえるような品物は何ひとつとしてないんだろう。無駄なものばかりが詰めこまれ、取り残されているんだろう。

それで携帯電話で慎也を呼び出し、軽く飲んだあとカラオケにいったのだった。三時間歌って、さっき手にした金を使い果たすつもりだった。カラオケは楽しくなかった上、カラオケ代金は慎也が払った。自分のぶんは自分で払うとおれは言い張ったが、いいっていいって、おまえ仕事ねえんだろ、まだ。慎也はへらへら笑って目の前で手をふっていた。

やっぱ夜は冷えるね、でも東京よりはあったかい気がするけど気のせいかな？　おれの横で女が言い、おれは体を傾けて女と向き合い、浴衣の合わせ目から手を入れた。

女はブラジャーをしておらず、おれの手はいきなり女のやわらかい乳房に触れた。ひゃあ、ひゃっこい、と女は声を上げ、乳を揉《も》みしだかれながらげらげら笑った。笑う女の口をおれはなめまわし、浴衣の合わせ目をはぐ。やけに白い女の乳がぽろりとこぼれるようにあらわれ、おれはそれにしゃぶりついた。執拗《しつよう》に乳房をなめまわす。女はされるがままになって、ときおり低い笑い声をあげた。やけにざらついた肌だと思ったが、女は鳥肌を立てているのだった。勃起《ぼっき》しかけた性器がなぜか急激に萎《な》える。女の乳から口を離すと、Uの字に垂れ下がった唾液《だえき》が白く光った。女は防波堤に寄りかかった格好のまま、あらわになった乳房を隠すこともしまうこともせず、何かぽっかりと穴のあいたような顔で向き合ったおれを見ていた。女が動こうとしないので、おれは女の浴衣の肩口を引き上げてから立ち上がった。女も立ち上がり、丹前の下で浴衣の帯を結びなおしている。

ねえ、明日本当に初島にいこうね、高速船が出てるから、それで初島にいこうね。大島初島に一泊して、あさっては大島にいこう。帰り道、女は急に饒舌《じょうぜつ》になった。大島ってね、あたし子どものころいったんだ。家族旅行で。それでね、子どもだからどこにいったのかなんてよく覚えてないじゃない。あたしずっと、あたしたちがいったのは伊豆七島の大島じゃなくて奄美大島《あまみおおしま》だと思ってたのよね。それで母親に、奄美大島いったわよねって言ったら、馬鹿だねえって笑われたの。あれは奄美大島じゃなくて、伊豆の大島だ、って。それ聞いてから、あたしもう一度大島にいきたいなって思ってたの。大島で何をしたか、どこにいったか、全然覚えてないんだけど、いったら思い出すかな？　だいたいあれよね、親につれていかれたところって記憶ないわよね、こっちは安心しきってついてくだけだものね。

女の声の合間に、女のサンダルがぺたぺたと鳴る。おれはそれを聞きながら、うん、うんと相づちを打った。気がつくと女は口を閉ざしていて、海沿いの暗い道を歩くおれらの足音だけが耳に届いた。歩く人の姿もなく、一台の車も走っていない。波の音ももうすっかり聞こえない。

海を背にして道を曲がり、遠くに灯《とも》る旅館の明かりを目指して歩きながら、大島に連れていってくれた親は元気なの、と訊いた。父は死んだけど、母は元気よ、といっても腰が痛い、指が痛いってうるさいの、年をとったことに自分で気づいていないのね。女はぼそぼそと答えた。

旅館の部屋に戻ると布団が敷かれていた。冷蔵庫から瓶ビールを取り出し、隅によけられたテーブルで飲む。蛍光灯の明かりがやけにまぶしく、隅々まで白く照らされているせいで、部屋はなんだかのっぺりとして見えた。

ねえ明日は初島にいこうねと、ビールを飲みながら女はくりかえした。あさっては大島ね、と。大島にいって家族旅行の記憶を捜し出して、それでどうするんだろうとおれは思った。ああこの道、きたことあるとか、ああこの海で泳いだのだとか、記憶に上塗りして納得し、今よりずっとちいさかった自分と、若かった母親と生きていた父親をぼんやりその光景に重ね合わせて、それでどうするのか。けれどおれはそう訊くかわりに、明日もあさっても、って平気なのかよ、と言って笑った。平気って何が？　女は真顔で訊く。その、会社とか、家庭とか。おれは口のなかでつぶやいた。ずいぶんみみっちいことを言っているなと思いながら。

平気よ。女はどこか得意げに答える。会社なんかべつにどうとでもなるし、家にも帰りたくないし。夫、つまんない男なのよ。子どももいないしね。

結婚しているのか、おれのさっきの推測は外れていたことになる。

つまんない男なのよね。ださいのよ、何もかも。女は独り言のように言って立ち上がり、冷蔵庫から新しいビールを取り出してきた。

でもおれ、金ないぜ。そう言うと、女は溶けだしたマーガリンみたいな笑みを向けて、ああ、あるある、お金なら、と言った。

洗面所で並んで歯を磨き、明かりを消して布団に潜りこんだ。障子がぼうっと白く浮かび上がる。性交すべきかどうか、糊《のり》のきいた冷たい布団のなかでおれは迷う。やりたくないわけでもなかったが、さっき突然萎えた性器のことを思い出し自信がなくなる。けれどここで何もしないというのも礼儀に欠けるのではないか。うじうじと悩んでいると、あっ、と女が声をあげた。何、何よ、訊くと、あなたお風呂入ってないじゃない、温泉きたのにお風呂入らないなんて、へんな人、と言って笑うのだった。女はいつまでも笑っていた。笑い声が聞こえなくなったと思ったら、数秒後には寝息が聞こえてきた。おれは首を横に傾けて眠る女を見た。白い枕《まくら》に、墨がこぼれたように髪が散らばっている。

目を閉じても、姿勢をかえても、なかなか眠気は訪れなかった。闇に浮かび上がる障子や、ぬるりとして見えるテレビ画面や、白い枕に散らばる女の髪を、薄目をあけて順繰りに眺めていたが、ふと布団から起きあがり、足音を忍ばせてトイレにいった。橙色《だいだいいろ》の照明の下で、白い便座に座り、さっき口に含んだ女の乳房を思い出しながら自慰をした。果てる瞬間、眠る女とも三穂子とも似ているようで似ていない女の笑顔が、つぶった瞼《まぶた》に大写しで浮かんで消えた。

屋根裏にだれかがいるのよ、と母親が言い出したときに、ああついにきたかとおれも兄も思った。屋根裏でだれかあたしを見張ってるの。気味悪いからなんとかしてくれない。しかしそう言う母の口調は、まるでしっかりしていて、ついにきたと思ったすぐそのあとで、本当に何者かが侵入しているのではないかとおれは思った。呼び出された兄とおれは、母の言いつけどおり二階和室の押入から天井板を外し、平べったい暗闇を懐中電灯で照らしてみた。埃のほかは何もなかった。

母が珍妙なことを言い出すのと、まともなことをしゃべっているのと、最初は三対七の割合だった。兄嫁が仕事を辞めおれたちの実家に通うようになった。割合が五対五になったとき、兄と兄嫁は母を病院に入れることに決めた。もっともおれは何も知らされず、入院日が決まったときにはじめて兄嫁から連絡をもらった。

先月、兄の運転する車に、母親と兄嫁とおれで乗りこんで、病院にいった。その日の母は静かで、黄緑色のへんな服を着て、助手席にちょこんと座っていた。子どものころのことを思い出した。父の車で家族旅行にいったときのことだ。母はやっぱり助手席に座って、後部座席でふざけて騒ぐおれたちを幾度もふりかえってたしなめた。兄の横に、シートベルトに羽交い締めにされるように座るちいさな母が、今にもふりむいておれたちに握り飯を手渡すような気がした。アルミホイルに包まれたばかでかいまるい握り飯。

しょぼくれた病院だった。病棟の廊下をうろついているのは老人ばかりで、小便と薬と、なぜか桃のきついにおいが、全部混じって漂っていた。母親はあそこで死ぬことになるんだろう。ベッドわきの棚に、茶碗《ちゃわん》や箸《はし》をしまいこむ兄嫁に母は「カズさんはこないのかしら」と訊いた。「カズさんはこないのよ、今日はね」兄嫁は慣れたふうに答えていたが、カズさんというのが八年前に死んだ父であると気づくまでにしばらくかかった。それから母はおれにゆっくり視線を移し、薄い唇を横に開いて笑いかけ、「ナオちゃんもいないけど。給食残してないかしら」と兄嫁に言い、急に鞄から財布をとりだして、「シュウちゃんにお小遣いあげといて。あたしからだって言わないで、ね」五百円玉をおれに押しつけてきた。

ていうかさあ、あまりにもお決まりすぎて、演技してんのかって思っちゃうよね。病院の外来入り口前にあるファミレスで、兄と兄嫁と食事をしながらおれは言った。だいたい屋根裏からして、パターンじゃん。それで今度はカズさんにナオちゃんだろ？　あれ、なんか見聞きしたものまねしてんじゃないのかなあ。豚カツ定食を食べながら陽気に言ったのは、兄と兄嫁がどんより暗い顔で色のかわった定食の刺身を箸で突っつきまわしているからだったのだが、ふたりは陰気な顔でおれをにらんだだけだった。あ、そうだこれ小遣い、シュウちゃんに渡せって。はい、シュウちゃん。おれはジーンズのポケットから五百円玉を取り出して兄に差し出したが、それは完璧《かんぺき》に無視された。テーブルにのったまま陽を反射している五百円玉に、だれも触れようとしなかった。席を立つとき、仕方ないのでおれはそれをまたポケットに押しこんだ。おまえ、もう本当にしっかりしろ、っていうか、してくれよ、頼むよ。ファミレスを出際、レジで勘定を払いながら兄はおれに小声で言った。気がつけば、兄嫁はその日一日おれと目を合わせていなかった。そのときも、レジ前に並んでいるプラスチックのおもちゃを、子どもみたいに触っていた。

トイレの水音で、女が目をさますんじゃないかと思ったが、さっきと同じ姿勢で眠っている。女の頭上を静かに通り抜け、布団にもぐりこむ。布団に残った体温が、全身にそろそろと無数の手を伸ばしてくるようで薄気味悪かった。

天井を向いたまま眠る女は、やだそれってマジですか、と、妙にはっきりした声で寝言を言った。明日は初島、あさっては大島。じゃあ明々後日《しあさって》はどこにいこう、沼津か富士か、浜松か。妙に鮮明に思い浮かぶ路線図を閉じた目で追っていくと、名古屋にいきつくころに眠気がようやく訪れた。


女の声で目が覚めた。部屋のなかは朝の光で白く染め上げられている。見慣れない天井を見上げ、おれは女の声を聞く。はい、ええ、午後にはいきますから。本当にすみません。ええ、大丈夫です、ちょっと予想外に混んでいたもので。

部屋のどこにスピーカがあるのか、いきなり大音量でピンポンパンポンと鳴り出し、続いて、朝食のご用意ができました、と素《す》っ頓狂《とんきょう》な大声でアナウンスが入る。女は、それじゃあすみませんが失礼しますと早口で告げ電話を切った。

食堂にいき、寝乱れた浴衣で女と向き合って朝食を食べる。女はきちんと服に着替えていて、化粧もすませていた。な、初島ってどっから船出てんの、鯵《あじ》の干物を箸でほぐしながらおれは訊いた。さあ、観光案内所で訊けばわかるんじゃない、女はおれに笑いかける。昨日寝言言ってたぜ。ええ、うそ、なんて？　教えるわけないじゃん、でもあんた、すげえはっきりした声で寝言言うのな。旦那《だんな》に驚かれるだろ？　旦那、と言ったとき、隣席の老婆《ろうば》が粘つくような視線でおれらを交互に見た。おれがにらみつけるとあわてて視線を外し、ごはんの炊きかたが悪いとかなんとか、連れの老人に話しかける。

熱海の駅に着くと女は観光案内所へはいかず、改札口にいって路線図を確かめている。おれをふりかえり、どうする、あなたはいくの、初島、と訊く。おれの答えを待たず券売機に紙幣をさしこんでいる。ぴかりと一列橙色に光った運賃ボタンをぼんやり見ていると、女は再度ふりかえり、ああお金ないんだったっけ、笑ってさらに紙幣をすべりこませる。女が買っているのは東京行きの普通切符だ。馬鹿にすんなとおれは言った。怒鳴りつけたつもりだったが、喉《のど》から出たのは笑いを含んだような情けない声だった。

馬鹿になんかしてないわよ、ならちょうだい、千八百九十円、とおれに向かっててのひらを向ける。馬鹿にすんなと言ったのは金のことを言われたからではなくて、初島になんでおれがひとりでいかなきゃなんねえんだ、こっちだってそうそうひまじゃねえよ、という意味だったのだが、女がてのひらを引っこめないので仕方なく言われた金額を財布から出してそこにのせた。質屋からもらった金だ。

ホームには中高年があふれていた。みな両手に紙袋を下げ、足元にボストンバッグを置き、陽射しに白髪や紫髪や金に近い茶髪をひからせて、躁《そう》状態に陥っているように夢中で話している。おれと女はホームの隅でぽつんと立って電車を待った。女は何も言わず、おれも何も言わなかった。やがて橙と緑の電車がホームに走りこんできて、笑い転げる中高年たちのあとに続いておれたちはひっそりと電車に乗りこんだ。

空いている座席に女と並んで座った。ちょっとここいい？　いいわよね？　中年をすぎようとしている女の二人連れが向かいの席に座る。電車が走り出すやいなや、缶ビールを取り出し、饅頭を取り出し、握り飯を取り出し、蒲鉾《かまぼこ》状のものを取り出し、窓枠や膝に広げて夢中で話している。おれと女はあいかわらず黙ったまま彼女たちのものを食らう様を見るともなく見ていた。十五分も過ぎると彼女たちの関係や家族構成がぼんやりとわかった。二人がそれぞれだれを嫌いで、だれの味方をし、だれのことをあきらめていて、だれのことを裏切りものだと思っているか、そんなことまでわかった。二人のうち声の馬鹿でかいほうがおれたちの視線に気づいてちらりとこちらを見、これ食べる？　と、昔なじみのおばさんみたいな口調で蒲鉾状のものを差し出した。おれらは子どものように首をふって受け取らなかった。小田原をすぎるころ、女は顔を上に向けて眠りこけていた。

次の停車駅は東京だというアナウンスを聞いてから、おれは女を揺り起こした。女は驚いた顔で起き、ちいさな鞄からコンパクトを取り出して鏡を見、鼻のあたりをパフでたたいた。ねえ、また寝言言ってた？　と鏡のなかの自分を見ながら訊く。言ってないとおれは答えた。

座席を立つとき、エノモトヒロコって本名？　とおれはもう一度女に訊いた。そうだって言ったじゃない、女は言い、おれをまじまじと見て、ねえ、メール交換とかする？　と言う。「メール交換」と発音するとき、隠語を口にするみたいな恥ずかしそうな表情をした。うん、しようぜ、とおれは言い、携帯電話を取り出したとき電車はホームに停車し、ホームに降りてから向き合ってちまちまと互いのアドレスを打ちこんだ。高校生みたいね、片手で作業しながら女が言い、中年だけどな、とおれは笑った。アドレス交換が終わると、それじゃ、と女はごく自然な仕草で手をふって、エスカレーターに向かって走っていってしまった。女の姿は、あいかわらず躁状態の中高年に紛れて、すぐに見えなくなった。

たった今ついた電車の行き先表示が、東京から熱海へと変わるのを、おれはホームでじっと見ていた。やっぱり初島にいけばよかったとおれは思った。初島から大島に。も一回この電車に乗って熱海に戻ろうか。それもなんか馬鹿くさくていいな。熱海行きの切符で質屋の金はなくなるしな。そうだそうしよう。そんなことを思いながら、おれは熱海行きの電車が客を乗せて走り去るのを見送った。

人のまばらになったホームを歩き、エスカレーターで地下に下りる。携帯電話を取り出して中川正志に電話をかける。なんだよ、おまえかよ、おれ仕事中。電話に出るなり中川は不機嫌な声で言う。なあ、今日暇？　暇ならカラオケいこうぜ。おれは言う。またカラオケかよ、いいけどよ、絡むなよな、慎也に聞いたぞ、そんじゃあとでかけなおすわ。中川は言って一方的に電話を切った。中川の声のうしろは騒がしかった。電話の鳴る音や、だれかの笑い声なんかで。混雑したコンコースを、人にぶつからないようにジグザグに歩く。ツタヤに寄ってあたらしいCDを借りてかなきゃなと思いながら、おれは一番線に続くエスカレーターに飛び乗る。財布のなかの残り金でシングルが楽勝で十枚は借りられる、と思う。

雨をわたる

この町の雨は油みたいだ。

　ねっとりとした液体は、つながって線を描くように降り落ちてきて、べたべたと体にまとわりつく。町の人は濡《ぬ》れることをまったく意に介さず、晴天の下を歩くように行き交う。隣に立つ母を見る。濡れて、ところどころ変色した紙袋を大事そうに抱えて空を見上げている。黒い髪が頬《ほお》と首にはりついている。血管が透けるほど白い肌を、水滴がゆっくりと流れ落ちていく。雨か汗か判断がつかない。写真でさえも見たことのない少女期の母が、横に立つ老いた女に重なる。たじろいでしまうくらいくっきりと重なる。母は美しい少女だったのかもしれないと思う。

　舗装された大通りには、ところどころ亀裂や浅い陥没があり、油のような雨はみるみるうちに茶色い水たまりを作る。大通りから左右にのびる赤土の道では、雨は細い川のように流れている。空を見上げる。濁った色の雲の向こうに青空が見える。雲の隙間《すきま》から金色の光がさしこみ水たまりを照らしている。雨はいっこうにやまず、トタン屋根に落ちばらばらと騒々しい音をたて続けている。光景は白くかすみはじめる。

「やみそうにないね」隣に立つ母に言った。

「そう思うでしょ？　それがね、ころっとやむの。おしゃぶりをもらった赤ん坊みたいにころっとやんじゃうの。ほら青空が見えてるじゃない」

この町のことならなんでも知っているといわんばかりの口ぶりで母は言う。

「それまでここで待ってるの？　どっかでお茶でも飲まない？」

母は私を見ると、眉毛《まゆげ》を大きく持ち上げて見せた。こういう芝居がかった表情を、以前は見せるような人ではなかった。

「まったく、わかってないわねえ。ここは東京とは違うのよ。喫茶店にいこう、って言うけど、喫茶店がないことくらい、見渡してみればすぐわかるじゃない」

雨に煙る周囲を私は眺める。通り沿いに続くつぎはぎトタン屋根の下には、商店が並んでいる。商店と言うにはあまりにもみすぼらしい、台に商品を並べただけの露店である。色鮮やかな果物を並べた店、蠅《はえ》のたかる生肉を並べた店、黄ばみ端のすり切れた古本を並べた店。数軒先にジュース缶を並べた店がある。店先にはプラスチックのテーブルと椅子《いす》が並んでいる。ズボンの裾《すそ》をまくった肌の浅黒い男が数人、椅子に腰掛けてコップに入ったコーヒーを飲んでいる。あれは喫茶店以外の何ものでもないじゃないかと思うが、しかしああいう店は、母には見えないらしいということを、この数日で学んでいた。

母と並んで空を見上げていることに飽きて、私は背後の店の軒先を眺める。肉を並べた台のうしろで、はたきに似た棒を緩慢に左右に揺らし、太った女が蠅を追い払っている。白い台は、肉から流れ出る血で赤く染まっている。肉屋の隣はお菓子屋である。原色を用いたパッケージ入りの菓子が山積みになっている。主《あるじ》の男は、台のうしろに置いた椅子で眠りこけている。母に名前を呼ばれ、ふりむいた。

「少し雨足が弱まってきたから、走りましょうか」

私がうなずくと、母は荷物を抱えたまま大通りに飛び出した。私もあとを追う。油のような雨が私の髪や肩や顔にねばねばとはりつく。サンダル履きの足に泥混じりの雨が跳ね上がる。思いのほか速く母は走る。サブリナパンツからのびた母の白い脛《すね》に、赤茶色い水滴が次々と飛び散るのを見ながら私はあとを追った。この町の人はだれも走っていない。走る私たちを、もの珍しそうな顔で眺めてのんびり歩いている。バイクが水しぶきをあげて通りすぎ、右の腰から下が茶色い水でずぶ濡れになる。赤土の路地から走り出てきた子どもたちが、走る異国人母子を見つけ、からかいの声をあげながら数メートルいっしょに走る。母は、水しぶきをあげるバイクにも歓声をあげる子どもたちにもかまわず、一目散に走っていく。スーパーマーケットの紙袋を大事そうに抱えて。数日前から感じはじめている苛立《いらだ》ちを、懸命に無視して私も走った。

海外に移住する、と六十を過ぎて母は宣言した。それはまさしく宣言だった。引っ越しの算段も、移住場所も、その場所での住まいも、何もかも決めてから私と兄に報告したのだから。

母に呼び出されたその日の深夜、母の家の静まり返った台所で兄とビールを飲んだ。何をとち狂ったか知らないけど無理だろうな、と兄は言った。無理だろうね、と私も言った。かろうじて飛行機に乗ったことはあるものの——兄夫婦が北海道に連れていった——、母は外国にいったことがただの一度もない。しかも、極度の潔癖性である。母が移住すると決めたフィリピンには、私も兄もいったことがなかったが、東南アジアなら旅したことがある。私は卒業旅行でベトナムにいったし、兄は結婚前にタイ、マレーシア、シンガポールと旅をした。ベトナムもタイもフィリピンもひとくくりにして話すのは正しいことではないが、しかし、共通点はあるように思われた。

「濁った水でささっと洗った皿に料理をのせる屋台がふつう」だの、「四ツ星ホテルなのに天井にヤモリがはりついていた」だの、「列車の一等席だったのに開け放った窓から蛾《が》だの蚊だの得体の知れない羽虫が飛びこんできた」だの、「物乞いの女が赤ん坊を抱いて数十メートルにわたって追いかけてきて金を無心した」だの、私たちは体験したことも友人から聞いた話もどこかで読んだこともごっちゃにして言い合い、母にとって移住がどれほど無理なことであるか確認しあった。

「だってあの人」兄は椅子に膝《ひざ》をたてて座り、煙草《タバコ》を吹かして言った。「札幌《さっぽろ》のホテルの絨毯《じゅうたん》にしみがあるって、まる二日言い続けたんだぜ、しかも並ばなきゃ入れないラーメン屋でやっと席に着いたのに、ワタシこういうところでは食べられない、って凝固したみたいな顔で言うわけ、カウンターに前の客のもやしかなんかが落ちてただけでさ。サーちゃん笑ってたけど、あれ以来もう二度とおかあさん誘おうって言わないもんな」

「デパートのトイレの洗面所に、髪の毛が数本落ちてただけで、そのデパート爆破するんじゃないかってくらい怒ってたし」私も負けずに言った。

潔癖性なうえ排他的で、猜疑心《さいぎしん》が強く、人を信用せず、執念深い母の性質を、母の寝静まった台所で私たちは具体例をあげて言い合った。そういう人が、慣習も常識も環境も違う場所で暮らしていけるはずがなかった。

「まあ無理だろうな」

「でももう決めたみたいだよ」

「いってみるしかないんじゃない、本人がだめだってわかれば帰ってくるさ」

「でもここを売っちゃったらどこに帰ってくるわけ」

私たちはそこで気まずく顔を合わせた。ひとりで暮らすマンションを売り払い、移住してみたものの、やっぱり合わないと言って戻ってきたとき、私も兄も母と暮らすなんてまっぴらごめんだった。つまり、外国暮らしは母には無理だろうと思いつつも、移住するという宣言に私と兄は安堵《あんど》していたのはたしかだった。しかし母親と暮らすのなんかまっぴらごめんだと、正直に言い合える冷酷さも親密さも私たちには足りず、その後言葉少なになって、ぬるくなったビールをすすりあった。

「ま、帰ってきたら帰ってきたときのことだよ」

「そうだね、案外合うかもしれないしね」

私たちは深く考えないよう、楽天的にそう言い合うにとどめた。

そして母は正月を迎えるやいなや、生まれてはじめて海外に向かった。向こうまで送っていくと兄が申し出ていたが、「オトモダチが迎えにきてくれるから」と母は断った。母がひとりで住んでいたマンションは三千万ほどで売れたらしい。そのお金は母に送金した。手続きはみな兄がやった。

「結局オトコじゃないかとおれ思うんだ」その後電話で兄は言った。「オトコがいるんだよ、先に向こうに住んでる。それでフィリピンなんてとち狂ったこと言い出したんだ」

それならたしかに納得できると私も思った。そして会ったこともないそのオトコに感謝した。

スーパーマーケットで母の買う材料を見ていて、すき焼きだろうな、と思ったら、夕飯は案の定すき焼きだった。冷房のきいた食堂で、グリル鍋《なべ》をはさんで私たちは向き合う。高い天井に取りつけられたファンがゆるやかにまわり、甘辛い醬油《しょうゆ》のにおいを攪拌《かくはん》する。窓からは海が見える。海はまるで一枚の布地のように静止している。雨はずいぶん前にあがった。

私が着いた日の夕食は豚カツだったし、次の日は魚の煮つけ、次の日は町の日本料理屋で刺身と天ぷらを食べた。朝ごはんには味噌汁《みそしる》と納豆とお新香がでてくる。すき焼きは、記憶にある母の味よりもしょっぱく、牛肉はかたかった。私は箸《はし》を動かしながら、スーパーで売られている品物について母が愚痴るのを待つが、しかし母は否定的発言をいっさいしない。知り合いの日本人がいかによくしてくれるかを話し、スーパーマーケットではいかに多くの日本食材が売られているかを話す。まるですべて自分の手柄であるかのように。

「ここからセブは近いでしょ？　明日あたり、高速船に乗っていってみない？」

小鉢に盛られた切り干し大根を箸でつまみ私は母に言う。

「明日は日本人会の集まりがあるの。あなたを紹介したいから、セブはまた今度にしましょう」

「日本人会？　どこで、何するの」

「パークリゾートでテニスとか、カラオケとか。私はどちらも駄目だから、ただお茶を飲むだけだけど」

「テニスとか、カラオケとか、ねえ」

数日前から私は気づいている。この島で決まり切ったところしか移動せず、必要なもの以外は何も見ず、そこからはみ出さず閉じこもっている母の暮らしぶりに。音《ね》をあげて帰国し、私のアパートに転がりこんでくる様子がないことにほっとしながらも、しかし、母の生活を知ってから言いようのない苛立ちを覚えはじめてもいる。母は口を開けばこの島を、日本人の多く暮らすホテル仕様のこのマンションを、スーパーマーケットを、窓から見える海を、ゆったりと過ぎる時間を、宝物を見せびらかすように褒めちぎる。ここへきて正解だったとくりかえす。それならよかったと、ともに喜ぶことがなぜか私にはできない。苛立ちが募るだけである。何に苛立ち、母に何を求めているのか自分でもよくわからないことが、さらに苛立ちを増幅させる。

日本で暮らしていたとき、母が話すことの八割は愚痴と呪詛《じゅそ》だった。自動改札やATMや地下鉄の路線図、わかりづらいものいっさいをあげつらって愚痴り、マナーのなっていない若者を愚痴り、テレビのつまらなさを愚痴り、スーパーマーケットの商品の品質について愚痴り、少年犯罪と児童虐待の増加した世のなかについて愚痴り、年齢の近い友人の愚痴の多さを愚痴り、愚痴が終わると過去への呪詛になる。死んだ父が言ったすべてのひどいこと、行ったすべての無神経なこと、父の家族が母に浴びせたすべての暴言を並べたてる。それらは私と兄の気を滅入《めい》らせる。母と話していると世界のいっさいが悪意を含んでいるように感じられてくる。母の住むマンションに足を向ける回数は次第に減る。

だから、ここでの新しい暮らしについての母の賛美に、私はほっとしていいはずだった。愚痴も呪詛もさっぱりと霧散したことを、心から喜んでいいはずだった。なのに、愚痴と呪詛を聞かされたときよりもさらに苛ついているのはなぜなのだろう。

リビングに置かれたテレビはソニーで、ソニーが映すのは日本の衛星放送である。野球の試合結果を眺めながら、母の剝《む》いたマンゴーを食べる。母は鼻歌をうたいながら食器を洗っている。リモコンを握りしめ膨大な数のチャンネルを次々かえてフィリピンの番組を捜す。ようやく歌謡番組が見つかり手を止める。

「やだ、チャンネルかえないで。巨人と中日、どっちが勝ってる？」

台所からセ・リーグとパ・リーグの違いも知らなかった母の声が飛んでくる。

三つあるゲストルームのうち、窓からの眺めが一番いいという部屋をあてがわれた。たしかに窓一面に海が広がっているのだが、夜になると空も海も闇《やみ》に塗りつぶされる。

ここにきてから母が作ったというキルトのカバーがベッドに掛けてある。膝を立ててベッドに座り、窓の向こうの海とも空ともつかない暗闇に目を凝らす。

この島の夜は不気味だ。着いた明くる日母に言ったら、治安はいいが夜は出歩かないに越したことはないと返事が返ってきた。そういう意味ではなかった。このだだっ広いマンションで、夜ひとりで眠るのはこわくないのかと訊《き》くと、じゃあだれがいっしょに眠ってくれるのよ、と言い、さもおかしい冗談を言ったかのように母は馬鹿笑いした。

冷房を切り、窓を開ける。湿気を含んだねっとりとした風が入りこむ。波の音はここまで届かない。網戸にちいさなヤモリと見たことのない模様の蛾がはりついている。枕元《まくらもと》のスタンドライトだけつけてベッドに横たわる。白い天井を確認してから目を閉じるが、眠りがくる前に何度も目を開けてしまう。窓の外から、何かがじわじわと侵入し、部屋の四隅でうごめいている気がするのだ。もちろん部屋には何もいない。この町の雨も闇も、私の知らない種類のものだ。窓の外の闇は重みがある。そして、闇それ自体がにおいを持っている。苔《こけ》に似た深いにおいだ。

橙《だいだい》色《いろ》の薄暗闇のなか、起きあがって窓を閉める。切ったばかりの冷房のスイッチを入れ、部屋の四隅に目を凝らす。何もいない、何もない。昨日も、おとといも、こうして神経を張り巡らせて眠りを待っていた。

この国で私の父親、つまりあんたのおじいちゃんは死んだということになってるのよ、と母が言ったのは私が着いた日の夜だった。奇妙に思えた引っ越しの謎《なぞ》が解けた気がして、だからここに引っ越すことにしたの、と訊くと、やあね、そんなふうに慕うほど父親の記憶なんかないわよ、と母は言った。そもそもね、この国で死んだ、っていうのだってどうかわかんないじゃないの、万が一この国で死んだとしたって、どの島で、どのあたりで死んだかなんてわかんないと私思うのよ、どこでもない場所で父親は死んだって私は思ってるのよ、だけどここで死んだってことにしてあるわけよ、それで母親、おばあちゃんがさ、私くらいの年のときに、はじめて飛行機乗ってこの国にきたの、そういうツアーがあるらしいわね、それで、この島じゃないんだけどほかのところでね、バスからぞろぞろおりてみんなでお線香たくわけよね、写真見せてもらったんだけど、どっかの橋の上だったわ、それで婆《ばあ》さんたちがたくさん、しゃがみこんで手を合わせてた、みんながみんなその橋のところで死んだわけもないだろうに、なんていうか、私からしてみればものすごくへんに見えたわね、あの写真は。母は淡々と、窓の外の重苦しい闇を見据えてそんなことを話した。じゃあなんでここに引っ越したの、タイだって、ハワイだってよかったじゃないの、母の話の切れ目に訊いた。タイだってハワイだってよければフィリピンだっていいじゃないの、と母は言った。やっぱり兄のオトコ説が正しいのかもしれないとこっそり思った。

廊下を挟んだ斜め向かいの部屋で眠る母を想像する。暗闇が窓を圧迫する部屋で、何ごともなく母は眠る。腕を組み死んだように眠る。不気味な夜のなかでひとり眠るのもおそろしいが、しかし眠る母の部屋を訪れるのはもっとおそろしく感じられる。金縛りにあったかのように動かず私は眠りを待つ。

兄の言っていたオトコとやらを、日本人会のメンバーのなかに捜してみたのだが、どうもそれらしき人はいない。プールのわきに屋外ホールがあり、ステージでは老人が演歌をうたっている。煎餅《せんべい》やチョコレートや果物がそれぞれ皿に盛られてテーブルに並んでいる。色の薄いビールを飲みながら、テーブルに着いた人々を私は眺めまわす。このテーブルの人々はカラオケに関心がないらしく、老人が歌い終えても拍手もせず、別の老人がステージに上がってもふりむきもしない。ビールや、ジュースや、紅茶をすすりながら、ひそやかにおしゃべりを続けている。みな母と同世代かそれより年長で、夫婦もいれば、独り者もいる。話しているのは、南高梅《なんこううめ》の入手方法、スーパーマーケットの日本食材、市場の商品価格、スコールの回数、そんなことを飽きずくりかえし、話題がとぎれると思い出したように母の隣に座る私を見遣《みや》って、若いことはいいと褒めてみたり、東京の変化を尋ねてみたり、母の暮らしの印象を尋ねてみたりする。

テーブルに着いている男性は三人で、二人は夫婦の片割れだし、もうひとりは九十に近いのではないかと思える無口な人で、母に引っ越しを決意させたキーパーソンにはどうしても見えない。離れた位置に座るカラオケグループの男性もチェックしてみるが、とくべつ母と親しい人がいるようには思えない。母の隣の女性、マミヤさんは、だれの話にも大げさな相づちを打ちながら、皿の上でひっきりなしに右手を揺らし、蠅を払っている。払っても払っても蠅はくる。運ばれてきたときからすでにぬるいサンミゲルをぐずぐずと私は飲む。隣のプールでは、欧米人の家族が歓声をあげてビーチボールを投げ合っている。

この島で、では母がどんなふうに暮らしていたら私は苛つくことなく満足したのだろうと考えてみる。日本食材を売るスーパーマーケットではなく、濁った血が流れ蠅が飛び交う市場で買いものをしていたら、日本料理店の天ぷらではなく、冷房のない食堂でカレカレを注文していたら、不器用に単語をつなぎ合わせこの国の言葉で屋台の女主と笑い合っていたら、島のところどころに押しやられている貧しさに嘆いていたら、窓を全開にして走るオーディナリーバスの排気ガスを呪詛しながら遠出していたら、夜の網戸にはりつく気味の悪い模様の蛾に辟易《へきえき》していたら、きっと私は満足しただろうと思う。私がここにきた理由は母のオトコ偵察ではなく、そういう母を見たかったからである気もする。

「でもみなさん、なぜこの場所を選んだんですか？」私への質問が途絶えたとき、私は笑顔でそう訊いた。「ハワイでもなくて、タイでもなくて、オーストラリアでもなくて、なぜここを？　何か縁《えん》がある場所なんですか」

母がとがめるような目で一瞬私を見る。その視線の意味がわからない。プライベートな質問はタブーなのだろうか。しかし私の正面にいる男性、クマガヤさんという名の、六十代後半と思われる、白髪の穏やかな紳士が、よく訊いてくれたとばかり身を乗り出して、この場所の気候のよさを褒め、すると派手な花柄のブラウスを着たクマガヤ夫人が、重ねるように、日本との距離の近さ、食材の豊富さを褒め、母の隣のマミヤさんが、島の人々の陽気さとやさしさを褒め、私の左隣の女性、母と同い年だという元中学校教師が、ひっきりなしに扇子をふり白檀《びやくだん》のにおいをまきちらしながら、この島のマリア観音は戦争ではなくて平和の象徴なのだと説明し、日本との縁の深さを説き、そしてそれらを統括するように、でもよかったわ、と母が笑みを浮かべてひときわ大きな声を出す。

「でもよかったわ、ここはみなさん本当にいい方ばかりで。日本のお友だちに聞いたことあるの、チェンマイだかどこだかはね、セカンドライフを送る日本人が多すぎちゃって、なんだか派閥争いみたいなことになってるんですって。グループに分かれて、陰湿な諍《いさか》いがけっこうあるらしいのよね。けどここは、みなさんマイペースで、そういうわゆるニッポン的っていうの？　グループでいがみ合うなんてないし、ここへきて本当によかったって、私毎日思うんですよ」

「この年になって、海外まできていがみ合ってたらなんだか情けないものね」クマガヤ夫人が賛同し、

「家族みたいなものよね、なんていうか。第二の人生、第二の家族、っていうかね」斜め前の、サングラスをかけた若作りのモモタ夫人が笑い、

「袖《そで》ふりあうも他生の縁、ってことよね、つまり」元中学校教師が真顔でうなずく。

ここへ着いてから感じていた、意味不明の軽い苛立ちが、喉元《のどもと》にせり上がる吐き気みたいにはっきりと感じられ、私は席を立つ口実を捜す。みんなの言葉に笑顔でうなずいていた母が、笑顔を崩さないまま私の腕を握る。

「ね、だからね、いつも言ってるけど、あんたはなんの心配もしないでいいの、早い話、私が死んだってきてくれなくてもいいからね。おにいちゃんにもそう言っておいて。みなさんにお願いしてあるんだから」私を見つめる母の笑顔にぞっとする。

「あなたは若いから、嫌な話だと思うかもしれんが、私たちはごくふつうにそういうこと話してるんだ、クマガヤ夫妻は太平洋に散骨、サカシタさんは墓地を買ったんだったか、買うんだったか」

表情をこわばらせた私の心中を察したのか、陽気な口調でモモタさんが言い、「買

おうかどうしようかって話ですよ」無口なサカシタ老人の答えにみな一様に笑い出す。

あわてて私は時計に目を落とした。

「今一時？　ってことは日本は二時ね？　私、電話しなきゃいけない用があるんだった」

口実にしか聞こえないと思ったが、私は会釈して席を立った。今夜はうちで夕ごはんを食べないかと、クマガヤ夫人が母に話しかけている。母が私を呼び止めるが、私はふりかえらずに歩いた。ステージではさっきと同じ老人が、こぶしをきかせて私の知らない演歌をうたっている。


海側を背にしてサラザール通りを進む。映画館がありレストランがありショッピングモールがあり、歯が抜けたように古い建物は壊され、まだ屋根のない、建築中の建物がところどころにある。色鮮やかなタンクトップを着た女性たちが行き交い、ジプニーというおもちゃみたいなタクシーがクラクションを鳴らして走る。脳天を直撃するような陽射しのなかをがむしゃらに歩き、代わり映えのしない光景に飽きてちいさな路地に入り、めちゃくちゃに歩きまわる。並ぶ家々の玄関は決まって通りに面しており、どの扉も開け放たれ、ちいさな暗闇をのぞかせている。犬がうろつき、子どもたちが走りまわり、スカートの裾をまくり上げた老婆《ろうば》が、玄関へと続く段に腰掛けてじっと私を見ている。

埃《ほこり》っぽい路地を歩きながら、細く続く路地の先に記憶のなかの光景を見る。幼い私の前を、まだ若い母が歩く。ふりむきもせず歩く。私は必死で母を追う。スカートからのびる母の白い脚を見つめて小走りに進む。けれどどんどん距離があく。置いていかれるかもしれないという恐怖のために、脚が絡まり、喉が渇き、母を呼ぶ声がかすれた。雑草の生い茂った、日陰のない、くまなく陽にさらされた白い道だった。あれはどこで、母はどこに向かっていたんだろう？

気がつけば周囲に商店は一軒もなく、崩れかけたようなバラック住宅が密集している。何かを揚げる油のにおいが漂う。声高に話し合う女たちの声が聞こえてくる。民謡に似た音楽がどこからか聞こえてくる。人の気配があるのに、路地にはだれもいない。赤土の道がのびている。路地の隅々に、ザモラ通りやサラザール通りにはない、人々の生活の気配がしみこんでいる。大通りに戻るため、さらに私は角を曲がり続ける。羽虫が耳元で飛んでいる。

母が引っ越した場所はどこだったんだろう。飛行機に乗り目指した場所はどこだったんだろう。航空チケットを買いマニラから飛行機でこの島に飛び母の住むマンションに荷物を下ろしても、母の暮らす場所にたどり着いたという気がしない。この数日ふくれあがる苛立ちは、そのせいだと気づく。母はどこでもない場所にいる。ひとりきりで。

ぽたりと粘り気のある水滴が落ちてきて、赤土の道にしるしをつける。雨だ、と思う間もなく、ぽとぽとと水滴は落ちてきて路地を黒く染める。髪に、腕に、顔に、油のような雨が降り注ぐ。大粒の雨は土埃をあげ、まるで地面からもうもうと赤い湯気が立ち上るようだ。ずっと先にジプニーの赤い色が見えた気がして、その方角に私は走る。

ようやくサラザール通りに出るころには、Tシャツもチノパンツも濡れてぺたりと体にはりついていた。速度を落とさず走る車が濁った水を跳ね上げる。パラソルの下で商売をする屋台の主は、店先に並べたサツマイモにぺらぺらのシートをかぶせ空をじっと見上げている。変わらない強度で降る雨のなか、すっと一筋陽が射しこみアスファルトを金色に光らせる。とりあえずブティックの軒先に避難した私は、屋台の女主のように空を見上げ、重たい色の割れ目から見える太陽に目を凝らす。

視線を通りに戻したとき、正面の通りを小走りに歩く女が目に入った。薄いブルーのカットソーに紺色のスカートをはき、雨のなかを歩く女は、母だった。声をかけるつもりで、軒先から飛び出し車道を渡る。数十メートル先をゆく母に追いつくため少し走る。粘っこい雨が跳ね上がり、サンダルの内側をぬるぬると濡らした。そうして母を追ううち、幼い子どもに戻ったような錯覚を味わう。ふりかえらずどこかに向かう母を、見失うまいと夢中で追いかけたときを思い出す。休みなく動く白い脚、次第に開く私たちのあいだの距離。母はどこに向かっているんだろうと、今私はふたたび思う。

雨足がだいぶ弱まり、布地をめくったように車道が明るくなる。先を歩いていた母は、薬屋のひさしの下で立ち止まり空を見上げ、そうして何気なくこちらをふりかえり、私に気づかず前を向き、歩き出そうとして、しかし足を止め、ゆっくりと再度ふりかえり私に焦点を合わせる。

陽射しが雨の一粒一粒をガラス玉のように光らせている。私と母は雨に打たれながら見つめ合う。母は、見知らぬ人を見るように私を見ている。その視線のせいで母もまた見知らぬ人に見え、近づくのがためらわれる。私の前に立つ老いた女は放浪者のようだと思い、そう思ったことにびっくりする。しかし雨のなかの女は住む家を持たない放浪者のようだ。きちんとした服を着て、雨に流されることのない化粧をしているが、圧倒的に用無しで、ここにいる理由など何ひとつなく、遠からず次の場所へ流れていく放浪者のようだ。母の目に私もそう映っているかもしれない。私は母の視線で、今ここに立つ自分自身を見てみたいと思う。

ジプニーが猛スピードで通りすぎ、私が、続いて母が水しぶきをたっぷりと浴びる。我に返ったような顔をして、母は私に近づいてくる。紺色のスカートがぺたりとはりつき脚のかたちを浮き上がらせている。

「早く帰ってシャワー浴びちゃいましょう」

母は私の腕に触れて言う。

「おかあさん、あそこでジュース飲んでいこう」

母の少し先、映画館のひさしの下でココナツを並べた屋台を私は指した。「ブコジュース、飲んだことある？　すっきりしていておいしいの。飲んでから帰ろう」

母は私の指の先をちらりと見て、

「ぐずぐずしてたら風邪《かぜ》ひいちゃう。さ、いこう」

「いくって、どこに」

「何言ってるの、帰るのよ」

私の腕をとって母は小走りに歩き出す。ほとんど雨はやみかけている。映画館の前で、若い男女が座りこみスナック菓子を食べている。ココナツ飲料の屋台の女主は、通りすぎる私たちをぼんやりと目で追う。暗い色の雲は遠くに流され、澄んだ青空が頭上に広がっている。淡い色の虹がかかっている。


チェックインが終わり、母がどこにいったのか空港内を見渡していると、両手にビニール袋を持った母があらわれる。これはおにいちゃんとサエさんに、これはあんたに、それから、もし会うことがあったら渡してちょうだいと数少ない親戚《しんせき》の名をあげながら母はそれらを私に渡す。

「多すぎるんじゃないの？　何が入ってるの」訊くと、

「これは葉巻、これはパイナップルのお菓子、こっちがココナッツのパイ菓子で、これはヤシ酒なんだけどヤシ酒なんか飲むかしら、でもわりとおみやげに喜ばれるって聞いたから」母はせかせかと説明する。

「ありがとう。お正月に休みがとれたらまたくるね」

「おにいちゃんたちといっしょにきたらいいじゃないの」

「そうだね、部屋はたくさんあるからね」窓にはりつくにおやかな闇を思い出して私は言う。

「そうよ、部屋はたくさんあるんだから」母は妙にまじめくさった顔で言った。

　私たちのすぐわきでは、たったひとりの青年を見送るのに一家総出できたらしい家族が順番に彼と抱擁している。その向こうでは恋人らしき男女が抱き合ったまま動かない。まわりを見渡せばあちこちで旅立つだれかが見送りにきただれかとそうして抱き合っていた。

「それじゃあいくね。いろいろありがとう」私は母に言う。

「こちらこそありがとう。おにいちゃんによろしく」母は私に言い、そうして私たちは周囲の家族や恋人を真似《まね》るように抱き合った。母から香る線香と菓子の入り交じったようなにおいを大きく吸いこみ、周囲の人たちから見たら私たちも別れを惜しむ家族に見えるだろうとそんなことを思った。別れを惜しむ家族であることに変わりはないのに、そうして抱き合ってみると、別れを惜しむ家族を演じているような決まり悪さが感じられた。

「パーラム」母の耳元で私は言った。

「何」体を離しながら母が訊く。

「さようならって言ったのよ。タガログ語、覚えなさいよ」

母は笑った。荷物を持ち、セキュリティチェックの列に並ぶ。ふりかえると母はその場に立って手をふっている。私も手をふる。母が何か言っている。聞こえないが私はうなずく。列はゆるゆると進み、私の順番がくる。母に渡されたビニール袋を台にのせてふりかえると、母はまだそこにいて、笑顔で手をふっている。私も手をふり、そうして奥へと進む。ふりかえっても母はもう見えない。

出国審査の列につき、私は早くも携帯電話を取りだし電源を入れる。圏外の文字が出るが、アドレス帳を開き兄の携帯番号をディスプレイに出す。成田に着いて兄に言うことを整理しながらその数字を眺める。

オトコはいないようだったよ。けっこういいマンションだった。電球が切れたらマンションの人が取り替えにきてくれるんだって。日本語も通じるんだって。町はちいさいけど目抜き通りにはなんでもあるよ。島の突端に大きなホテルがあるの。雨が降って、すぐやむの——何を言っても母の居場所は説明できる気がしない。それでも私は言葉を重ねるだろう。リビングと寝室から海が見える。真っ暗な海。夜になると暗闇が窓からにじみ出してくる感じ。何か気持ち悪い。でもおかあさんは何も感じないって。テレビはソニーで巨人戦を流してる。同世代の日本人が何人かいて、寄り合いみたいに集まってたから安心でしょう。セカンドライフなんて、第二の家族なんて言うんだよ、まいるよね。みんなどこにも用がないような人たちなのにセカンドのライフで何したいのかね。

列はゆるゆると進む。私は片手でアドレス帳をいじり、兄の名、恋人の名、友人の名、職場の名を次々とディスプレイに出していく。これから帰る場所が私を待っているのだと確認するように。

おみやげもらったの。渡したいから空いてる日を言ってよ。私？　私は今成田にいるよ。さっき着いたの。これから家に帰るの。帰ってすることがたくさんあるの。夜は恋人とごはんを食べることになってるの。約束してあるから。

兄に向かって話しているつもりがいつのまにか、母に向かって言い募っている。雨のなかで私を見つめていた、知らない女みたいだった母に。順番が近づく。携帯電話をしまいパスポートを取り出す。ふりかえる。私のあとにどこかに向かう人々が列を作っている。仕切りの壁に遮られ見えない、遠ざかる母を思い描く。

鳥を運ぶ

鳥は六羽いた。しかもそれぞれべつの鳥かごに入っていた。鳥たちは六つの鳥かごのなかから、まるく黒い豆みたいな目で、じっと私を見ている。鳥のくせに緊張しているのがわかる。六羽のうち二羽はぶるぶる震えている。六羽にはそれぞれ名前があるはずだった。母の呼びかけを思い出そうと、私は目を宙に泳がせる。試しに「チーコ」と声を出してみた。六羽のうち三羽が羽をふるわせた。「チーコちゃん」私はさらに甘い声を出した。三羽にくわえほかの二羽も私を見た。途方に暮れた。

母の住む家に一番最近きたのは、今年の正月だった。そのとき鳥は四羽だった。十カ月のあいだに二羽増えたことになる。どれが増えたのか私にはわからない。

チーチーと、白地にブルーの鳥が鳴いた。それを合図のように、黄色いのも、緑のも、青いのも、チーだかピーだか鳴きはじめ、静まり返った家を甲高《かんだか》い鳴き声で満たす。ため息をついて立ち上がると、鳥はいっせいに黙った。立ち上がった私をじっと見つめている。首を傾《かし》げて見ているものもいる。二羽はあいかわらずぶるぶる震えている。

居間にいって、たった今もらってきたばかりのケーキの箱を組み立てはじめる。駅前のケーキ屋で、ほしくもないのにシュークリームを十二個買ったのだ。人に分けて配るから、箱を六つくださいと律儀にわざわざ言って、もらった箱だった。箱を組み立て、空気穴を開けなければならないと気づき、私は玄関に向かう。

私の記憶のなかでは、錐《きり》は玄関わきのもの入れにあるはずだった。二畳ほどのもの入れには、かつて、掃除用具や使われなくなったミシンやクラリネット、箱入りの古びた靴なんかとともに工具箱が入っていた。しかし暗いもの入れには、掃除用具も工具箱も入っていなかった。見慣れないスーツケースと、古雑誌の束が入っているきりだった。

錐か、もしくは錐状のものを捜して、家のなかを歩きまわる。二階の母の部屋、今は使われていない自分の部屋、ウォークインクロゼット、しかしそのどこにも錐はない。一階の和室、居間、台所、開けられる戸棚はみな開けてみるがやはり見あたらない。錐が見つけられないだけで、そこは見知らぬ人の家のように感じられた。独居老人の家に忍びこんで、金目のものを捜しているようないやな気分だった。

私が小学校三年生のときにこの家に引っ越してきた。それから十年ここで暮らした。十八のとき家を出て、今ではこの家で暮らしていた時間より暮らしていない時間のほうが長くなってしまった。

和室の窓際に並べられた鳥かごから、六羽の鳥が歩きまわる私を見ている。ときおり思い出したように鳴きはじめる。私のてのひらほどもないちいさな鳥が驚くような大きな声で鳴く。

結局錐を見つけることができず、フォークで代用することにした。陽のあたるソファに座り、ケーキの箱にフォークを突き立てる。ケーキの箱はやけに頑丈で、フォークを突き刺しても壊れることなく、側面にいびつな穴が開いていく。

ピンポンと、ひび割れたようなインターホンが鳴り、鳥たちがふいに黙る。私は玄関に走った。ドアを開けると健一が立っている。

「よく覚えてたね」彼を迎え入れながら私は言った。

「迷ったら電話しようと思いながら歩いてたら、ついた」健一は躊躇《ちゅうちょ》なく上がりこみ、まっすぐ廊下を進んで和室の前で立ち止まる。

「うわ、六羽もいる」

「だから言ったじゃん、六羽いるよって」

「そうだけど」

鳥たちは動きを止め見慣れぬ闖入者《ちんにゅうしゃ》を見上げている。私を見上げていたときのように、二羽はぶるぶると震え出す。

「一応ケーキの箱をもらってきたの」

私は居間から穴の開いたケーキ箱を持ってきて健一に見せた。

「じゃ、さっさとやっちゃおうか」

健一は言い、私から箱を受け取ると鳥かごに近づいた。すると六羽が六羽とも、健一にか箱にか、それとも自分たちの運命を予知したのか、いっせいにかごのなかでばたばたと暴れはじめた。薄い羽が舞い上がり、餌《えさ》のカスが舞い上がり、健一は顔をよけてごほごほと咳《せ》きこむ。鳥たちは狭い鳥かごのなかで羽ばたき続け、ぎゅわぎゅわと耳障りな声で騒ぐ。

「なんだっつーのよ、インコってもっと人懐っこいんじゃないの」

舞う羽を片手でふりはらいながら健一は顔をしかめる。

「なれてないんだよ」

私は困ったように言った。

「さっとやっちまおう、さっと」

自らに言い聞かすように言って、健一は右端の鳥かごと向かい合う。入り口を開け手を差し入れると、なかにいた黄色い鳥はパニックを起こしたように騒ぎながら逃げまどい、すると残りの五羽がそれに同調してなおのこと暴れ出し、なんだか凶悪事件を起こしているような気分になった。

鳥かごにつっこまれた健一の手が、逃げまどう黄色い鳥を追いかけ、つかむ。健一は丸めた手のひらをケーキの箱につっこみ、私たちは二人がかりで鳥が逃げないように箱をしめる。鳥たちは一瞬黙りこみ、黄色い鳥がケーキの箱のなかで羽ばたくがさごそいう音だけが部屋に響いた。畳に置いたケーキの箱は、まるでそれ自体が生きているかのように、ずず、ずずと小刻みに動く。

「なんかいやな感じ」動く箱を見おろして私は言った。

「いやな感じだけど、やんなくちゃなんねえし」箱にまだ一羽移し替えたというだけなのに、ぐったりして健一は言い、右から二番目のかごの前にしゃがみこんだ。鳥にどれだけの脳味噌《のうみそ》があるのかわからないけれど、明らかに残りの五羽は、たった今一羽がされた仕打ちを自分たちもされると理解しているふうに見えた。騒ぎはおさまらず、ますます激しくなる。鳥たちはかごのなかでばたつき、飛びまわり、かごにぶつかって下に落ち、下に落ちたことにも気づかずまだ羽をばたばたさせ、ぎゅわぎゅわと鳴き続けている。顔をしかめた健一が、右から二番目のかごに手を差し入れ、狭い空間で逃げまどう青い鳥を追いかけるのを、和室の入り口に立って私はじっと見おろしていた。

　母が入院したのは一週間前だった。背中が痛いと言いだしたのが一カ月ほど前で、歩けないほど痛み出したと自ら病院にいったのがちょうど十日前のことになる。その場で入院が決まり、ベッドが空くのを三日ほど待ったらしい。入院したと聞いて、明くる日、仕事を休んで病院に向かった。母に会うのも正月以来だった。四人部屋の一番奥で、腕に点滴をされて横たわっている母は、私を見るなり「鳥がねえ」と言った。

「鳥がねえ、心配で」

「鳥どころじゃないじゃない、どうしちゃったのよ」私が訊《き》くと、

「どうもこうも、検査の結果が出ないからわかんないんだけどさあ、あなた、鳥をなんとかしてくれないかしらねえ」と、妙に哀れっぽい顔で私を見上げた。

「なんとかって何」

「週に三日四日餌をやりにいくとか、あなたんちに連れていくとか」

どちらも不可能ではなかったがどちらも至極面倒に感じられた。私が今住む家と実家は、私鉄を乗り継いで二時間かかる。残業のない日に実家に帰り、餌をやって朝そこから会社にいけばいいのだが、これからそんな毎日がはじまるかと思うと気が重くなった。鳥かごを風呂敷《ふろしき》に包んで一羽ずつ持ち帰ることもできなくはないだろうが、フルマラソンをしろと言われたほうがまだましに思えた。黙っていると、

「健ちゃんに車を出してもらえばいい」と母が当然のように言うので、かちんときた。

「健ちゃんは車どころか免許も持ってないよ」私は言い、言ったすぐあとで、言いたいのはそんなことではないと気がついた。

「まあ、男のくせに」母はつぶやき、天井を見上げて「どうしようかなあ、鳥」と、なんだか子どもに戻ってしまったように言うのだった。

「たしか四羽いるんだよね」訊くと、

「六羽よう」天井を向いたまま母は言った。たっぷりとってある窓から、秋の黄色い光がさしこんでいた。「チーコ、ピーコ、チッチ、ルルちゃん、ルリちゃん、ミャーコちゃん」指を折って歌うように言う。そんな母を見ていたら、なぜだかわからないが私は逃げ帰りたいほどぞっとした。

「何、ミャーコなんてへんな名前」その気分をうち消すように私は言った。

「あのね、猫みたいな声で鳴く子が一羽いるの、あなた聞いたらびっくりするわよう」母はころりとこちらに首をむけ、真剣な顔で言った。

ナースステーションにいき、背をまるめ書きものをしている看護師に声をかけ、母はどのくらい入院するのかと訊いた。私が知りたかったのはしかし母の入院期間ではなく、鳥問題の解決だった。まだ検査の結果が出てないんですよと、若い看護師はかなしそうな顔で言った。結果が出たら、ご連絡しますからと続け、なにやら用紙を持ってきて、必要事項を書きこむように言った。自分の名前と住所、自宅と職場の電話番号、携帯電話番号を書き入れる私に、看護師は、娘さん？　と訊いた。うなずくと彼女は言った。

「内田さん、昨日おひとりでいらしたから、ご家族のかたはごいっしょじゃないのか訊いたんですよね。そうしたら、家族はいない、自分は天涯孤独の身だなんておっしゃって。冗談だったんですね、ああよかった」

病院の廊下は薄暗く、妙なにおいがする。八年前、私の父は病院で死んだが、そのとき歩いた廊下もこんなにおいだったと思い出す。病室のドアはみな開け放たれていて、ちらちらとのぞきながら歩いた。寝そべる足がいくつも見えた。みな青白く生気がないように見えた。

「ほら早く、早くふたを閉めて」

健一の声に我に返り、健一が両手を差し入れる箱をおさえあわててふたを閉めた。畳に置いた二つの箱は、ずず、ずずと動き続ける。

健一は黙々と鳥かごに手をつっこみ、逃げまわる鳥につつかれながらも両手で包み、箱に移し替え続ける。私も黙々とふたを閉め続けた。ふたの閉まった箱はみな畳の上で薄気味悪く動きまわった。どれかの箱から断末魔みたいな鳴き声が聞こえ、するとほかの鳥たちも異様な声で鳴き、箱の動きはひときわ大きくなる。とことん気が滅入《めい》った。

六羽全部箱に入れ終わると、私も健一もぐったりと疲れていた。部屋には綿埃《わたぼこり》のような羽が散乱し、埃が上下し、粟《あわ》みたいな餌が粒々と散らばり、黄色や青い羽がところどころに落ち、健一はどす黒い顔で額に汗を浮かべ畳に座っている。襖《ふすま》に何か模様があり、顔を近づけると血だった。ぽつぽつと血が飛んでいるのだった。

「健ちゃん、どこか噛《か》まれて切ったんじゃない？」

私は座りこんだ健一の両手のひらを調べてみたが、どこも切れていなかった。

「ということは、鳥のどれかが怪我《けが》したんだろう」

うんざりだと言いたげな声で健一は言う。

「怪我って」

「暴れて、鳥かごに引っかけたんじゃないの」

私たちは迷惑そうな顔で畳の上の箱に目を落とした。六つの箱は手品みたいにひとりでに動き続けている。どの箱の鳥が怪我しているのかわからなかったが、調べる気にもなれなかった。和室の窓から西日がさしこんでいる。綿毛と埃はあいかわらず舞い続け、薄く橙《だいだい》に染まった箱はじりじりと動き続けている。自ら動き続ける箱のひとつは、ゆっくり和室の隅まで進み、敷居を転《こ》がってぽとんと廊下に落ちた。そこでまたなかの鳥が暴れ出す。羽が紙の箱を擦る音がし、ぎゅわぎゅわと鳴き声がし、ふたたび六つの箱が騒ぎ出す。このままここで一晩を過ごせといわれたら頭がおかしくなるのではないだろうかと思ったとき、健一が立ち上がった。

「とにかく運ぼう。運び終えたら向こうで鳥かご買うんだろう。ぐずぐずしてると店が閉まる」

私もあわてて立ち上がった。

紙袋三つに箱を分けて入れ、健一が二つ、私がひとつ持って家を出た。電気を消して靴を履き、玄関で暗くなった家のなかをふりかえったとき、あまりの静けさに驚いた。かつてのにぎやかさ――祖母がいて、父がいて、母がいて、親戚《しんせき》や友人がしょっちゅう遊びにきていたにぎやかさはあとかたもなく消え、まるで廃墟《はいきょ》みたいに感じられた。帰ってくる者がおらずこのまま朽ち果てていくような静けさだった。私はあわててておもてに出、急いで鍵《かぎ》をまわした。紙袋のなかで鳥はやけにおとなしかった。

私鉄の上り電車は空《す》いていた。私たちは隅の三人がけの席に座り、神妙に箱を膝《ひざ》にのせた。ドアが閉まり電車が走り出すと、私の持った紙袋のなかで、鳥が暴れる音が聞こえた。

「この鳥たち、生まれてはじめて電車に乗るんだね」

うんざりする気分を盛り上げるように私は明るい声を出した。

「この音も、振動も、何が起きているのかまったくわかんないんだろうなあ」

まるで自分が理不尽な仕打ちを受けているかのように、健一は顔をしかめて言う。

電車が大きく揺れると、今度は健一の紙袋から、じじじっ、という鳴き声が響き、ばたばたたと羽が紙箱に触れる音がした。私たちは顔を見合わせる。

「膝に置くなよ、揺れるから」

健一は生真面目《きまじめ》に言って、紙袋を持った両手を持ち上げ、袋を数センチ浮かし、私にもそうするように促す。やってみると、思いのほか腕が痛んだ。水の入ったバケツを持って立たされているような気持ちになる。

「だけどそうすると、袋がぶらぶら揺れてなおのこと騒ぐんじゃないの」

私は不機嫌な声で紙袋を膝に下ろした。こういう、健一の命令口調が私は嫌いだった。自分の思っていることが世のなかの唯一正しいことだと信じているだけではない、それにくわえ、私のやることなすことが世のなかの一番間違った方法だと健一は思っているに違いなく、そのことが私を無用に傷つけ、苛立《いらだ》たせ、失望させる。

「膝に下ろすとよくないよ、ほらきみの袋から、鳴き声が聞こえるじゃない」

「そっちだって鳴いてるよ、しょうがないよ、揺れるんだもん」

「血が出てる鳥だっているんだから」

「袋をそうして持ち上げてたって鳥が安心かはわからないでしょ」

「だからさあ」

健一は言いかけてやめ、大げさにため息をついてみせた。私はふいと横を向いた。向かいに座っている子どもが、私たちと、私たちの持つ紙袋を、目を見開いて交互に見ている。隣で眠る母親を揺り起こし、寝ぼけ眼《まなこ》の彼女にそっと何かを言いつけている。

「喧嘩《けんか》することもないと思うよ、今さら」

そっぽを向いたまま私は言った。そうだけど、と口のなかで健一は言い、

「そうだな」

それははっきりと発音した。

離婚届を書いたのは三週間前だった。それをダイニングテーブルに置いたまま、それぞれ荷造りをして、数日後に引っ越した。離婚届は健一が持っていった。たぶん引っ越しの次の日にでも、区役所に提出したのだと思う。

私はそのことを母に言えなかった。泥遊びで汚した衣類を隠すように隠し続けた。まるで二人で引っ越したかのように新しい連絡先を告げた。健ちゃんに車を出してもらえばいいと、病院で母が言ったときも、私は言えなかったのだ。健ちゃんはもう他人なんだよと。しかし実際、鳥を運ぶのを手伝ってほしいと頼めるような人間は、今のところ健一しか思いつかなかったのだが。

電車はトンネルに入る。轟音《ごうおん》が響き、なんだか自分が箱に押しこめられた鳥みたいな気分になって私は身を縮める。どの箱からか、懸命に逃げ出そうともがく音が聞こえてくる。向かいの座席の母親はまた眠っている。騒々しい袋を持つ大人たちを、子どもは見開いた目でまだ見つめている。

なんで離婚することになったのか。幾度も考えたことをまた考える。性格が合わなかったのだ、私は健一の命令口調をおとなしく聞き流せるような寛容な女ではなかったし、私の意地まじりの反論を見のがして笑えるほど健一は大人な男でもなかったのだ。それらしい答えはすぐに出るけれど、本当のところはもっと違うことであるような気がする。だって結婚する以前からわかっていたじゃないか。健一が根拠のない自信家であることも、私が子どもじみた意地でそれにつっかかっていくことも。

どちらかに好きな相手ができたわけでもない、けれど離婚という言葉が出てから事態は流れるように進んだ。私たちは相手との生活にうんざりしきっていた。六年も交際したのに、結婚後一年もせずして私たちは離婚届の用紙を家に持ち帰った。それぞれ一枚ずつ、同じ日に。そんなところだけ気が合った。

布団の畳みかた、食器の洗いかた、洗面所の使いかた、歯ブラシの選びかた、何から何まで異なった。当たり前である。他人なのだから。交際しはじめた当初は笑い話だった。だーってさあ、あんた、と私は女友達に話したものだった。電動歯ブラシは歯磨き粉が飛び散るうえ歯垢《しこう》だって落ちないんだといくら説明したって聞かないの、聞かないばかりか、今どき手動歯ブラシなんか原始人並みだって人のこと馬鹿にすんだからまいっちゃう、あははは。枕《まくら》カバーを一週間も一カ月も洗わないの、勝手に洗うと怒るんだよ、寝付きが悪くなるんだって信じられる？　そのくせ、窓の桟は異様な執着でもって掃除すんのよ、どうなっちゃってんの。

それでも六年も交際したのだから、何かがよほど合ったのだろう。もしくは二人とも怠慢だったか。笑いながらもかちんとくる習慣の違い、それを守る相手の頑《かたく》なさは、結婚したらすべて解消するとなぜだか私たちは思っていた。

しかし結婚すると、笑い話にしかならない馬鹿馬鹿しいそれらが、呪術的《じゅじゅってき》とも言える力で私たちのあいだに入りこんできた。私たちは、不潔な枕カバーにではなく、手動歯ブラシにではなく、それに固執し他を排する個人を許せないと思うようになった。ちいさな差異は、金銭感覚の違いに、価値観の違いに、人生観の違いに、人間性の違いにと発展し、根深い怒りへとつながっていく。

なぜなのだろう。私はここがわからない。母にうち明けられないのは、だからだ。あんたは馬鹿だと母は言うだろう。私だってそう思う。他人なんだから違うことなんかいくらだってあると言うだろう。私だってそう思う。どうしてそうわがままで偏狭な人間に育ったのと言うだろう。そんなんだと一生ひとりぼっちよと言うだろう。私だってそう思う。そう思うけれど、でもどうにもならなかったのだ。私は許さなかったし許されなかったのだ。母はこの世の終わりみたいな長いため息をつくだろう。私は悪さが見つかった子どものようにうなだれ、それ以上何も言えなくなるだろう。

今入院しているのよと母が電話で言ったとき、私は密《ひそ》かに安堵《あんど》した。自身にもうまく説明できない離婚の理由と報告を先延ばしにできると、そのことにまず胸をなで下ろした。母に怒られない、母を失望させない、母に非難されない、母に呆《あき》れられない、三十をとうに過ぎたというのにそう思ってほっとしたのだ。病状を案じるより先に。

窓の外はもう暗い。ぶどう色の空の下部に、家々の明かりがはりついている。前の座席の親子連れはいつ降りたのか、いつのまにか若いカップルが座っている。ぴたりとくっついて、互いの顔をのぞきこみくすくす笑っている。紙袋のなかは、妙に静まり返っている。

「死んでたらいやだな」

私がたった今思いついたのと同じことを、健一は口にした。

「死ぬなんてことがあるかな」

「鳥ってショック死もストレス死もするんだよ」

本当に死んでいるかもしれないと、紙袋のなかをのぞきこんで私は思う。家にたどり着いて、健一と二人、ケーキ箱のなかでころりと死んでいる鳥を見たらさぞかし後味が悪いだろう。

「そういえば、人間によくなれた鳥っていうのは、死ぬところを飼い主に見せないんだってね」

ふと思い出して私は言った。

「ええ、何それ。猫ならそういう話、聞いたことあるけど」

「母が昔言ってたよ」

中学生のころのことを私は話す。私がちいさなころから家では鳥を飼っていた。セキセイインコに文鳥、オカメインコ。ケーキ箱に押しこめられた鳥たちとは違って、よくなれていた。多くの鳥が、鳥かごの出入り口をくちばしで開けることを覚え、勝手に肩に飛び乗ってきた。この鳥たちが死んだところを、私は一度も見たことがないのだった。

家に帰ると鳥かごに二羽いた鳥が一羽しかいない。どうしたのかと母に訊くと、気がついたらいなかったのだと母は答えた。きっと死期を悟って、入り口を開けてどこかへいってしまったのね。鳥は、飼い主に死んだ姿を絶対に見せないって言うから。

「そんな話、聞いたことないぜ」

「そうだね、今考えればなんだかへんな話だね」

私たちは顔を見合わせる。同じことを考えているのがわかった。死んだ鳥は母が始末していたのではないか。私が学校にいっているあいだに、落命したものをそっと取りだし、こっそり庭に埋めていたのではないか。幼い娘に生きものの死を見せないためだ。

「子どもって、わんわんしつこく泣くもんね」

私はぽつりと言った。見たわけでもないのに、庭の隅で背をまるめ土を掘り返す母の姿が、やけに鮮明に思い浮かんだ。

「おかあさん、具合どうなの」

紙袋に視線を落としながら健一は訊く。

「検査の結果待ちで、まだなんにもわかんないけど、でもいつも通りだった」

私は答えてから、病院にいた母がいつも通りだったのかそうでなかったのかわからないことに気がついた。「天涯孤独の身なんだって、馬鹿みたいな嘘《うそ》を看護師さんについてんの」私はちいさくつけ加えた。その嘘の意味も私にはわからない。六羽の鳥はまったく動かない。ぬいぐるみを運んでいるような気にさせるほど動かない。

私は思い出す。去年か、一昨年《おととし》か、そのときはまだ三羽しかいなかった鳥かごの前で、うつぶせに寝ころんで赤ん坊に話しかけるように甘ったるい声を出していた母の姿を。チーちゃん、いい子でちゅねえ、チーちゃん、おはよう、おはよう、おはようは？　リビングのソファから私はそんな母を見ていた。母の声を聞いていると、ふっと目の前をよぎる光景があった。ベビーベッドの柵《さく》、天井近くでくるくるまわる玩具《おもちゃ》、一箇所糸のほつれたタオルケット。それは記憶ではなくて想像だったかもしれない。けれど母と鳥かごに目を合わせているのは自分自身であるような気になった。

「天涯孤独ね」

無表情な声で健一は言った。

乗換駅で降り、紙袋を不必要に揺らさないよう、向こうからやってくる人とぶつからないよう、慎重に向かいのホームに移動する。紙袋はあいかわらずひっそりと静かだ。本当に死んでいるのかもしれない、再度思うと、紙袋はやけに重く感じられた。ホームからは川が見下ろせた。あたりはすっかり暗く、川は街灯の白い光を映していた。

上り電車は、混んでいるというほどでもなかったが、座席は空いていなかった。私たちは連結部分のそばに立ち、押し黙ったままそれぞれの紙袋に目を落としていた。なんだか自分が鳥になったみたいに息苦しかった。ふつうに過ごしていたら、あるとき巨大なてのひらにぐっとつかまれ、精一杯の抵抗もむなしくわけがわからないまま狭い場所に閉じこめられて、見知らぬどこかに運ばれていく――そんな気がした。健一も似たようなことを思っているのか、必死に耐えるような顔つきをしている。

電車は地下に入る。聞き慣れた轟音が、耳に痛かった。体じゅうがびりびりしびれるようだった。電車が大きく揺れるたび心臓が高鳴り、恐怖を覚えた。すっかり鳥と化してしまったかのようだった。紙袋をひとつ、顔の高さにまであげて耳をくっつけてみる。

「やめろよ、動かすの」

健一が尖《とが》った声で言う。

「だって生きているか心配で」

そのとき、高くかかげた袋から、ピロピロと、甲高く叫ぶような鳥の声が聞こえた。近くの乗客がいっせいに私を見る。私はそっと紙袋を元の位置に下ろした。

「少なくとも一羽は生きてる」健一を見上げて言うと、

「だな」眉間《みけん》にしわを寄せて健一はうなずいた。

電車は停《と》まり、動き、停まり、動いた。自分の家がこんなに遠く感じられたことはなかった。地下を走る電車の窓ガラスを見ると、疲れ切った表情の私と健一が並んでいる。表情はまったく違うがその構図は結婚式の写真を思い出させた。写真のなかで、私と健一はこんなふうに並んで立って、おかしくてたまらないというふうに笑っている。

「ごめんね」

隣に立つ健一に私はそっと言った。「健ちゃんに頼める義理でもなかったんだけど、ほかに頼める人いなくて」

「いいよ、そんなこと、今さら」

健一はぶすりとした顔で言い、それからしばらく考えて、「ケーキの入刀のこと思い出した」とつぶやいた。

「え？　ケーキ？」

「ほら、結婚式で入刀したろう、これが夫婦初の共同作業だとか、司会の人が決まり文句を言って」

「ああ、うん」

ケーキは下半分が偽物だった。本物の部分に、触れるようにナイフをあてた。結婚式の写真では、私も健一も笑ってばかりいる。のけぞって笑いうつむいて笑い、歯茎を見せて笑い目尻を拭《ぬぐ》って笑っている。結婚することがうれしくてたまらなかったのではない、恥ずかしくて笑っていたのだ。六年もいっしょにいて、歯ブラシだの枕カバーだの言っていた自分たちが、誓いの言葉とかケーキ入刀とか指輪の交換とか、大まじめにやっていることが。

「おれ、さっき思ったんだけど、夫婦初の共同作業をさせるなら、ケーキなんか切るんじゃなくて、鳥を運ばせるべきだな」

健一は言った。

「何それ」

「夫婦になる人間が、電車を乗り継いで二時間かけて鳥を運ぶ。その二時間に耐えられたら、なんかとりあえずだいじょうぶって気がしないか」

健一は今日はじめて声を出して笑った。

「鳥運ぶくらいで、おおげさな」

「ケーキよりはいいんじゃないか」

しばらく考えて私は言った。

「私たちは少し遅かったね」

「ま、次に機会があったら、試してみようぜ」

「二度と嫌な気もするけど」

私たちは窓ガラスに映る互いの顔を見つめて少し笑った。ピロピロと、一羽の鳥がまた声をあげた。


いったん紙袋を私の部屋に入れ、駅前にあるディスカウントショップで折り畳み式の鳥かごを六つ買い、それを健一と抱えて家に戻る。引っ越して一カ月もたっていない私のアパートは、まだ段ボール箱が山積みにされている。ここに健一を招くとは思わなかった。健一は私の部屋を見まわす余裕もなく、そっとケーキの箱を取り出していく。床におくやいなや、がさごそと不気味に動き出す箱もあり、しんと静まり返ったままの箱もあった。ひとりでに床を動く箱を見ると驚くくらい安心した。動く箱には生が入っているということだから。

健一と私は黙々と六つの鳥かごを組み立てた。六つのケーキ箱のうち、五つの箱が床を少しずつ移動している。ひとつはみしりとも動かない。さっきは動く箱が不気味に思えたが、今では動かない箱の静けさが不気味だった。

動いている箱から開けるか、ぴくりともしない箱から開けるかで、また少し言い合いをした。結局私の言いぶんが通って、動く箱から開けることにした。動かない箱のなかで鳥が死んでいることを私は確信していた。死んだ鳥を見るのは少しでも先に延ばしたかった。

私が箱を開け、健一が両手を差し入れて鳥をつかみ、その間、隙間《すきま》から逃げないよう箱の口を私が押さえ、健一が鳥をとりだしたところで素早くかごの入り口を開ける。それをくりかえした。かごのなかに放たれた鳥は、あいかわらずばたばたと飛びまわった。羽が舞い、耳障りな鳴き声が響く。

ピーコだかチーコだかミャーコだか知らないが、とにかくそうして五羽、かごにおさめるのに成功した。動かない箱も開けなければならなくなった。私たちは何も言わずに顔を見合わせ、重々しい決意をするかのごとくうなずきあって、そうして最後の箱を真ん中にしてしゃがみこむ。

ショックだかストレスだかに打ちのめされて、弱り切りこときれて、箱のなかに冷たく横たわる鳥の姿がちらついた。口から何か液体を出し薄く目を開けて死んでいる鳥。もし死んでいたらこれからどこかに埋めにいかなくてはならない。健一はまだつきあってくれるだろうか。掘り返せる土のあるところといったら、神社か公園だ。暗いなかでしゃがみこんで土を掘るのか。ともに何ものをも作り出せなかった私たちはいったい何を共有しているのか。この夜をどんなふうに記憶していくのか。

ずっと子どもでいたかった。唐突に私は心のなかで叫ぶように思った。鳥の死をだれかに隠してもらえる子どもでいたかった。中身のわからない箱を自ら開けずにすむ子どもでいたかった。なんにも決めず、なんにも選ばない子どもの不自由に、私は一瞬強く焦がれた。

「何やってんの！」

健一の叫び声で、自分がかたく目を閉じていたことに気づいた。目を閉じたまま箱を開けたので、隙間をおさえたつもりがてんで見当違いの場所に手をかざしていた。目を開けると、黄色い色が視界を横切った。六羽目の鳥だった。生きていた。生きていて、健一の手を逃れ、ふたの隙間から逃げ出したのだった。

「ああ、もうっ」

いらいらと健一は言い捨てて、立ち上がり、天井近くを飛びまわる黄色い鳥を追いかける。私も立ち上がり、両手を頭上にかざして鳥を追った。興奮したらしい鳥ははばたばたと羽をまき散らしながら飛びまわり、カーテンを閉めた窓ガラスに体当たりし、床に落ちながらも必死でまた羽をばたつかせ飛びまわる。私たちに奇妙な踊りをおどるように、両手をかざして鳥を追いかけ続けた。段ボール箱にけつまずき、口を開けたケーキ箱を踏みつぶしながら。私たちの手を逃れ宙を飛びまわる鳥は、蛍光塗料を塗ったような鮮やかな黄色で、なんだかちいさな光みたいに見えた。てのひらのなかには決してとどまらない光みたいに。私たちはそれを追って正面からぶつかり、舌打ちをして、競うように腕を伸ばした。

鳥は電源の入っていないテレビに突進し、鈍い音をたてて衝突し床に落ちた。その瞬間、私はとびかかるようにして両手で鳥をつかんでいた。

「死んだ？　平気だった？　すごい音したけど」背後から私をのぞきこみ健一が訊く。そっとてのひらを開くと、黄色い鳥は観念したように黒いちいさな目で私を見た。

「生きてる」

私は言った。てのひらのなかで、小刻みに震える鳥はなまあたたかかった。

パセリと温泉

腕を強く引っぱられ、ふりほどこうとしても強くつかまれてかなわない、その力にやむなく引きずられていく。引っぱるものの正体も、私が立つ場所もよくわからない、そんなあいまいな夢の途中で目をさましたら、電話が鳴り響いていた。まさにこちらを引きずるように、執拗《しつよう》に鳴り続いている。開いた目で天井を隅々まで眺め、ああ、小田原の実家に帰っているんだと、心のなかで読み上げるように思い出した。上半身を起こしたところで電話は鳴りやみ、再度寝ようとした瞬間に、また鳴りはじめた。しかたなく起きあがり、部屋を出、ぎしぎしと鳴る階段を下りる。

玄関のわきに置いてある黒電話の受話器を取ると、甲高《かんだか》い女性の声が、

「あのですねえ、今日の午後なんとかかっていう来客があるって言うんですよ」

てっきりいたずら電話だと思い、どちらにおかけですか、と不愉快な声を出しかけると、どちら、のあたりで女性はこちらを遮って、

「S総合病院外科病棟の内田と申しますけどね、倉西文子《くらにしふみこ》さんのご家族ですわね？」

と、居丈高に訊《き》いた。はあ、そうですけど。答えながら、嫌な予感がざわざわと広がるのを感じる。

「倉西さんがね、今日の午後に来客があるって言ってるんですよ、それでね、鼻のチューブを引っこ抜こうとして、止めると暴れちゃうんでね、ちょっと困っているんですね。ご説明しましたけれどあのチューブで胃液をとっているものでね、むしりとっちゃうと嘔吐《おうと》の危険性がたいへん高くなりますしね、手術を終えたばかりだから今嘔吐されるとね、喉《のど》に詰まって窒息する可能性もあるわけだから」

女性はきんきん響く声で切れ目なくしゃべる。その声から、というよりも、足元から広がる嫌な予感から逃れるために、私は暗い廊下に視線を這《は》わす。和室の戸が薄く開いている。人の横切る気配がする。なんだ、父は起きているんじゃないか。起きているのにどうして鳴り響く電話に出ないのか。苛立《いらだ》ちは、いっとき女の声と予感から私を解放する。

「今日、こちらにいらっしゃる?」電話の声は突然訊いた。

「ええ、いくつもりですけど」

「できるだけ早くいらしてくれないかしら。面会時間は守らなくてもいいですから」

「いくにはいきますけど、でも」私は何をすればいいんでしょうか。そう訊こうと思ったのに、

「じゃあお待ちしていますから」またもや彼女は私を遮り、一方的に電話を切った。

受話器を置き、和室の戸を開ける。ガラス戸に面した板の間で、椅子《いす》に腰かけ父は新聞を広げていた。ガラス戸の向こうには庭が広がっている。手入れをされず、雑草は思いのまま伸び、木々は光を遮るように枝を伸ばしている。木々の葉の合間から降り注ぐ陽射しで、父は絵画のなかの人のように輪郭を光らせている。

「おとうさん、起きてるなら電話くらい出てよ」

「ああ、うん」父は新聞から顔を上げずに、うなるような返事をする。

「私、ごはん食べたら病院にいくけど、おとうさんはどうする」

「ああ、そうだな」

いく、とも、いかない、とも答えない。新聞をめくる乾いた音がする。私は父に背を向けて和室を出た。向かいの台所にいき、コーヒーメーカーをセットしていると、新聞を片手に持って父が追うように入ってくる。何をするでもなく、食堂の隅に突っ立っている。自分も朝ごはんが食べたいのだろうと予想はついたが、

「なあに」わざとぶっきらぼうに訊いた。

「ああ、いや」父は口のなかでつぶやくように言い、テレビをつけ、台所とつながった居間のソファに腰を下ろした。

父は地元の中学校の教頭だった。八年前に定年で退いたのち、シルバー人材センタ

ーに申し込み、いくつか職を得たが――プールの監視員、製紙工場の事務、駐輪場の見張り役――、どれも長続きしなかった。長年先生先生と呼ばれてきたから、人に何か命令されるのが苦痛なんでしょうよ、と母は言っていた。この一年はずっと家にいる。何をするでもない、午前中いっぱいかけて新聞を三紙じっくりと読み、午後になると、テレビを見ているか、ひとりで碁盤に向かっているか、歴史小説を読んでいるか、とにかく家のなかにいて、夜は早々と眠る。あいまいな返事のほかはいっさい口をきかず、料理どころかお茶すらいれることもできず、蕎麦《そば》でもパスタでも、出されたものはただ黙々と食べる父は、なんだか反抗期とひきこもりがセットになった子どもを思わせた。父が家にいるようになってから、母は毎日のように電話をかけてきて、告げ口をするように父の一挙手一投足を憤慨しながら報告した。

出先で雨が降ってきたから、洗濯物をいれてって電話をかけたのよ。洗濯物をとりこむなんて、小学生にだってできるわよ。ああ、うん、って言っておいて聞き流して、雨ざらしよ雨ざらし。

一日じゅう寝ころんでいるなら庭の木の手入れをしたらどうって言ったらね、馬鹿みたいに大きな石臼《いしうす》を買ってきて庭に置いてるの。なんなの、あれ。石臼なんてどうしろっていうの。

ちょっと、おとうさん、ぼけちゃったんじゃないかしら。お水をはらないままお風《ふ》呂沸《ろ》かして、たいへんだったのよ、火事一歩手前。浴槽、とりかえることになったんだから。もうほんと、どうしようもない男よ。

　離れて暮らしているから、私には、母のそんな話がすべて笑い話に聞こえた。声をあげて笑うたび、笑いごとじゃないと母は真剣な声で訴えた。

　ねえ、私、ノイローゼになりそうなの。だってずっと家にいるのよ、頭がおかしくなりそう。あんたさえしっかりしてくれれば私出ていっちゃうんだけれど、そんなわけにいかないじゃない。結婚が決まったとき、片親なんて聞こえが悪いし、それに相手の人におとうさんがちゃんと挨拶《あいさつ》できるわけないじゃない。あんたさえ早く嫁いでくれたら、私さっさとこんな家出ていくんだけれど。ねえ、あなたいつになったら結婚するの。どうしてそういう話が出てこないの。

　六月、母は入院した。有休を取って帰省し、父とともに病院にいくと、医師は私たち三人を診察室に呼び入れ、母は胃癌《いがん》であると説明した。ただ深刻なものではなく、胃を三分の一ほど切除すれば、充分元通りの生活に戻れるということだった。癌という病名と、本人の前でそれを告知することに私は動転したのだが、父も母も、思いのほか冷静だった。

　あの人のせいよ。

　父が早々と帰ってしまうと、病室に戻った母は憎々しげに言った。医者が言ってたでしょ、胃癌てのはストレスが原因なんだって。あの人がずっと家にいることがこれほどのストレスだったのよ。真希子、わかる？　私はあの人に殺されるところだったのよ。いろんなものを全部取り上げられた末に、命まで奪われるところだったのよ。

顔を覆っていたやわらかい贅肉《ぜいにく》が落ち、頬骨《ほおぼね》や額が浮き出るほど痩《や》せた母が、口をすぼめ吐き捨てるように言うのを聞いていると、ぞっとした。深刻なものではない、という医師の言葉にすがるように、翌日私は東京に戻った。母は毎晩のように私に電話をかけてきた。親戚《しんせき》のだれそれがきたけれど一時間もせず帰った、寝間着の替えを持ってくるよう頼んだのに父はいつまでたっても持ってこない、そんなようなことだ。鼻に通したチューブを車椅子のフックに引っかけ、点滴のかかったポールを握りしめ、暗い待合室の隅で、非常口の緑のランプに照らされながら公衆電話にかじりつく母の姿が、ガラス越しに見えているようにくっきり浮かんで、いつまでも消えなかった。

結局二人分の朝食を作った。父の席に、ハムエッグとサラダ、焼いたパンを並べると、父はちらちらとそれを見て、大儀そうにソファから立ち上がり、ダイニングテーブルについて食べはじめる。

まるで野良猫だ。向かいで食事をしながら思う。

「さっきの電話、病院からだった。おかあさんが、チューブを外そうとして暴れるんだって。私にきてくれって言うけど、私がいって何かの役にたつのかな」

沈黙が気詰まりで口を開いたが、トーストを口に入れた父は「むぐ」と聞こえる音を漏らしただけだった。頭がおかしくなりそうだと母が言ったのもうなずける。こんな調子で家にいられたら、たしかに耐え難く苦痛だろう。

朝食を終え、食器を洗い、身支度を整えて父の姿をさがすと、また和室に戻り、新聞を広げていた。ガラス戸越しの光を浴びて新聞に目を落とす父は、なんだか珍妙な動物に見えた。

「どうする、おとうさん、私いくけど」

声をかけても、父は新聞から顔を上げず、おう、と口のなかでつぶやいただけだった。

病室にいく前にナースステーションに寄り名前を告げると、年輩の看護師が書きものをやめて立ち上がった。

「ああ、倉西さん、たいへんだったんですよ、今は少し落ち着いてますけどね」

看護師の胸元の、「内田」と記されたバッジを見ながら話を聞いた。

「昨日の夜はね、毒を飲まされたって騒いでたいへんだったんです。眠剤を出して眠ってもらったんですけど、今朝《けさ》になったら、なんだか午後に大切なお客さんがあるんですって？　それでね、チューブを外さないようにね、両手にこういうミトンをつけてもらってるんですけどね、こんなみっともない格好でナントカさんに会えやしないって言いだして」

　看護師はまるで、クラスのだれそれの悪口を言う女子高生みたいな顔で言い募る。

「母はどうかしちゃったんですか」

　昨日見舞いにきたときの母はふつうだった。明日はこなくていいわよ、毎日じゃ疲れるだろうから。帰りがけに、そう言って手をふっていた。看護師の言っていることはよくわからなかった。

「ときどきあるの」急に親密な声音で看護師は言った。「お年寄りとか、ちいさなお子さんとかね、手術のあとに妄想と現実が入り交じっちゃうこと、ときどきあるのね。だから心配することないわ。ないんだけど、ちょっと今朝はたいへんだったものだから、娘さんがいてくれれば落ち着くんじゃないかと思って」

　体を寄せ、小声で話す背の低い看護師を、私はまじまじと見おろした。

「ま、とにかくちょっと見てあげて。寝てると思うけど、もし起きてチューブを外そうとしたら、止めてくださいね」

　看護師は私の背中をぽんと叩《たた》いた。ナースステーションを出、母の病室に向かう。

廊下にはトレイがのった配膳車《はいぜんしゃ》があった。漂っているにおいは、トレイにのった食べ残しのものなのだろうが、なぜか嘔吐物のにおいに思えた。

四人部屋の一番奥にいくと、ベッドに横たわった母は目を開けていた。腕には点滴、鼻からはチューブ、そして両手には、卓球のラケットのようなものをはめている。顔を寄せると、目だけ動かして、

「マンセルさんが」と、弱々しい声で言った。

「ええ？」母の口元に耳を近づける。マンセルさんが、母はくりかえした。

「今日いらっしゃるから、この両手のへんなもの、とってほしいのよ。こんな格好じゃ会えないでしょ」弱々しいが、口調は思いのほかはっきりしていた。

「だれよ、マンセルさんて」パイプ椅子を引き出しながら訊くが、母はそれには答えず、

「とにかくとってちょうだい」哀願するように言った。

「じゃあとるけど、チューブを勝手にとらないでよね」私は言い、母のはめているラケット状のものを外した。母は両手をそろそろと頭に伸ばし、手櫛《てぐし》で髪を梳《す》いている。視線を感じて向かいのベッドを見ると、じっとこちらを見ていた中年女性がぎこちない笑みで会釈をして、さっと小型テレビに視線を移した。執拗に手櫛で髪を整えていた母は、

「葉書、買ってきてくれた？」と私を見て言った。

「葉書なんて、頼まれてないけど」

「いやだ、昨日頼んだじゃない。礼子さんにお礼状を書くんだからって」

「なんのお礼？」礼子さんは父の妹である。

「ここのお礼よ。こんないいところに招待してもらったんだから、お礼を言わなきゃ。昨日の夜なんか、川の音が聞こえて涼しげだったわ。お礼状なんて早ければ早いほどいいんだもの、ねえ、一階のお店で葉書を買ってきて。そうね、押し花のがいいわ」

私はぽかんとして母を見た。昨日とまったく変わりない母である。しかし言っていることがまったくわからない。だいたいマンセルなんて人も知らないし、礼子おばさんに母が何をしてもらったのかもわからない、そもそも母は父の妹のことを毛嫌いしているのだ。そして病院のわきに川もなければ、一階に押し花の葉書を売っているような店も当然ないのだった。看護師がさっき言っていたことが、ようやく理解できる。妄想と現実がごっちゃになっている。しかし頭では理解できても、何が起きているのかまったくわからない。

「マンセルさんが明日なら私が買いにいってもいいんだけれど、今日の約束だから、せっかく訪ねてこられたのに私が留守じゃ、悪いでしょ。真希ちゃんもお湯につかってきたらいいわ。葉書はそのついででいいから」

「お湯って」

「この下の階のね、長い廊下をずうっといって、突き当たりを右に曲がるでしょ、そのまた突き当たりが温泉。右が女湯だから、まちがえないようにね」

母は言って窓のほうへ首を傾けた。私も思わず母の見遣《みや》るほうを見た。五階の病室から見えるのは、低く連なる住宅の屋根と、白い煙突が突き出た広大な工場と、午前中の陽射しがまぶしい晴れた空だった。

「いい色」

目を向けて母はつぶやくように言った。なんの色のことを言っているのか確かめることができなかった。横たわる母の顔をのぞきこむこともできなかった。

ナースステーションにいくと、テーブルを囲んで数人の看護師がにぎやかに談笑していた。受付に立つ私を認めると、茶髪の若い看護師が、広げていたお菓子の缶にさっとふたをした。内田さんが立ち上がり、こちらに歩いてくる。

「あの、母が」背の低い彼女を見おろすようにして言う。「母が、へんなんですけど」

「ですからね」だから言ったじゃないかという表情で、内田さんはため息をついた。

「チューブ、大丈夫？　外そうとしないかしら」

「それは平気なんですけど、なんだかわからないことを言うんです」

「そうね、さっきも言いましたけどときどきあるんですよ。でもたいがい、何日かしたらけろっと元通りになることがほとんどですから。また暴れちゃうと点滴もあるし危ないんですけど、様子をね、見てみましょうよ、できるだけあなたもきてあげて」

「女湯の場所を、見てきたみたいに言うんです」

「今日は一日、ついていてあげたほうがいいかもしれないわね。あなた、お仕事大丈夫なの？」

「マンセルって、だれなんでしょう」

耳に届く自分の声は震えていた。内田さんは、うんざりしたような顔を一瞬したのち、笑顔を見せた。

「何かあったら呼んでくださいね。それからチューブはくれぐれも注意して。ね？」

そうして、ナースステーションから追い出すようにまた私の背中を叩いた。

面会時間が終了になる午後八時まで、私は母のかたわらにいた。母は眠ったり起きたりし、起きてぼんやり窓の外を見ていることもあったが、弱々しい声でとめどなく話し続けることもあった。最後まで母は意味不明のことを言っていたが、よく聞いてみると、母の話には一貫性があった。どうやら、母は、礼子おばさんのはからいで温泉宿に泊まっており、そこは偶然母が卒業した女学校の近所で、マンセルさんというのは学生時代世話になった恩師か級友かで、せっかく近所にいるのだからと落ち合う約束になっているらしかった。

しかし話に一貫性がある、ということは私をちっとも安堵《あんど》させなかった。むしろじりじりと不気味になった。女湯の場所をやけに正確に指示するように、温泉宿付近の地理も母は異様なほどことこまかく説明したし、ゆうべ出されたという食事のメニュウも先付けからはじまってデザートが何だったかまで言ってみせた。母の目に映るのはそのどこぞの温泉なのか、母はその幻覚のなかにすっぽりと入って帰ってこないのかと思っていると、何かの検査から帰ってきた向かいの中年女性をちらりと見遣り、「心中ですって」と、小声でささやいた。

母が言うには、向かいの女性は五日ほど前、色白の男性とチェックインし、ついおととい、滝壺《たきつぼ》に飛び降りて心中を図ったのだという。男性は亡くなったが、女性だけが生き残り、病院に運ばれてきたと、ひそひそ声で母は言った。向かいの女性がいるところは病院なのに、自分が寝ているのは温泉宿である、その矛盾は母にはどうでもいいようだった。

かと思うと、

「冷凍庫にそら豆のポタージュを入れてあるの、あれ、もうだめになっちゃったかしら」と、妙に現実的なことを言い出したりもした。

午後八時、面会者の帰宅を促す放送が流れ、私はほかの面会者たちとともに病室を出た。

「また明日くるからね」と言うと、

「いいのよ、無理しないで」母は幻覚などいっさい見ていないかのように言い、点滴の刺さっていないほうの手を、頼りなげにふった。

家に戻ると、父は居間のソファで、電気もつけずテレビを見ていた。テレビの青白い光が、父の姿をちかちかと浮かび上がらせ、壁に影を浮き上がらせていた。

「ごはん、食べたの」電気をつけながら言うと、食べていないと言う。舌打ちをしたいのをこらえ、冷蔵庫の残り物を掻《か》き集めて炒飯《チャーハン》を作った。その合間に、ふと思い出し冷凍庫を開けてみると、たしかに薄緑のポタージュらしきものが、ジップロックのなかで凍っていた。

テレビに目をやりながら食事をする父に、母の異変を逐一話して聞かせたかったが、私は黙っていた。聞かせれば、父の足が病院から遠のくだけだろう。母が入院してから父は数えるほどしか見舞いにいっていない。父は何より面倒なことが嫌いなのだ。胃癌という病名がまず面倒だし、その上意味のわからないことを母が言いだしていると知れば、さらに面倒に思うだろう。よく教師がつとまったものだと娘の私でも思うけれど、父のような人が教頭になれたのは、まさに面倒を回避した結果なのかもしれないとも思う。

「会社、大丈夫なのか」テレビを見たまま、父が口を開いた。

「だっておとうさんじゃ付き添いもできないでしょ。もう少し休みをもらわなきゃならないけど、しょうがないよ」恨みがましい口調で言ってみたが、父はまた「むぐ」

と聞こえる音を漏らしたきりで、あとは何も言わなかった。

ベッドに横たわっていると、まだ夏の盛りだというのに、庭から虫の音が大きく響いてくる。私は暗闇《くらやみ》に目を凝らして、ルールルー、リリリリリ、種々に流れる虫の声を聞いていた。

りゅうりゅうと鳴くのはかんたん。りんりんと鳴くのは鈴虫。ぎっちょんぎっちょんはきりぎりす。幼いころ聞いた、隣に横たわった母の声を思い出す。知らないことの答えを、母はすべて知っていると思っていた。なんでも母に訊いたのはいつのころまでだろう。母の口にする答えを、世のなかの真実と受け取っていたのはいつまでだろう。

母は、人というのは悪意でできていると信じている人だった。母にかかれば、父も父の家族も、自分の母親ですら、悪意を持って彼女に接したことになった。たとえば父がシルバー人材センターから紹介された仕事を辞めて家にいるのは、自分に対する嫌がらせだと母は納得するのだった。礼子おばさんがときおり遊びにくるのは、私たち家族の暮らしぶりをチェックするためだと母は信じていた。町内会の奥さん連中は、笑って別れたあと、重箱の隅をつつくように母の欠点を言い合っているに違いないと思っていた。

母に言わせれば、彼女は子どものころから何ひとつ思うようにできなかったらしい。

たとえば母が教師に強く勧められたのに大学進学できなかったのは、父親が戦死していたからららしい。恋愛した人と結婚できなかったのは、自分に満足な学歴がなかったからららしい。見合いで父と結婚した後、働きたかったのに働けなかったのは、体裁が悪いと父が止めたかららしい。もうひとり子どもがほしかったのにかなわなかったのは、当時の父の収入が許さなかったかららしい。家を建て替えたかったのにできなかったのは、礼子おばさんがやっかんで邪魔をしたかららしい。猫を飼いたいのに飼えなかったのは、子どものころの私が喘息《ぜんそく》持ちだったからだし、旅行のひとつもしたことがないのは、父がなんにもできない人だかららしい。

母の話にはすべて因果関係があり、その因果関係の発端は他人の悪意だった（私には自分の喘息でさえも、ひょっとしたら母を困らせるためにみずから引き起こしたのではないかと思えた）。因と果のあいだに、あまりにも迷いがないので、母にしたらそれらはすべて真実ということなのだろうけれど、じっと聞いていると、ときおり気分が悪くなった。母の目から見る世界はあまりにも醜悪だった。成人し、家を出、母の目線から遠く離れてみれば、母の話の過剰なデフォルメが理解できるようになったし、また逆に、信仰するように他人の悪意にすがらなければ、何ひとつ思うようにしなかった自分を、母は肯定できないのだろうとも、思うようになった。

その母は今どこにいるんだろう。他人の所作ひとつにも悪意を見る母は、今どの陰に身を潜めているのだろう。礼子さんにお礼状を書くと言う母は、いったい母のどこからあらわれた人なのだろう。

虫の音はやまない。私はいつまでも天井を見つめている。母も今、暗闇に目を見開いて、窓の外から聞こえる川の音に耳をすませているのだろうか。


ひょっとして、いつもの母に戻っているのではないかと期待して、病室に顔を出した。母は首を傾けて窓の外を見ていた。のぞきこむと、

「あら、ゆりちゃん」と真顔で言う。

「真希子よ」ゆりちゃんってだれだろう。

「ああ、真希子。なんだ」とつぶやき、また窓の外に顔を向けた。

「どう、調子は」

「小鳥がね、なついて近づいてくるようになったわ。ほら」と窓の外を指す。そこには、屋根と民家と工場、それに蓋《ふた》のような空があるだけだ。母はまだ、現実に戻ってきていないらしかった。失望を顔に出さないようにしながら、パイプ椅子を出し、窓に背を向けて座った。

「ゆうべは毒を飲まされそうにならなかったの？」

こうなったら母の話につきあってやろうと思い、訊いた。母はきょとんとした顔で

私を見、

「何を人聞きの悪いこと言うの。みなさんよくしてくださってるわよ。ゆうべはね、ここのお嬢さんが踊りを披露してくれて。そりゃ見事だったわ。礼子さんと私、露天風呂で約束したの。もみじの季節にまたきましょうって」

母の妄想は、細部を変えながら、だいたいのところでは同じらしい。昨日の話では、礼子おばさんはいっしょに泊まっていなかったのだから。露天風呂で少女のように指切りをする母と父の妹が、のぞき見てしまったみたいに思い浮かぶ。その光景をうち消すようにベッドのパイプにつり下げられているビニール袋を私は見つめた。母の鼻を通って胃につながっているチューブは、このビニール袋へと胃液を落としている。ビニール袋には、赤黒い液体がたまっている。

「礼子さんとそんなに仲がよかったなんてね」

嫌味のような口調になった。言ってから、私はまさしく嫌味を言いたいのだと気がついた。

「へんなことばかり言う子ね。本当の姉妹みたいって私たち昔から言われていたの、あなただって知ってるじゃない」

母はしわがれた、弱々しい声で言った。あんなに底意地の悪い女は見たことがない、私が倉西に嫁いだとき、なんでこんな馬鹿な女とにいさんは結婚したのかって、目の前で平然と言ったのよ、倉西の家の嫁として恥ずかしいって。法事のときだって未《いま》だに私はお手伝いさんみたいにこきつかわれて、同じ席で食事をさせてもらえないんだから。信じられる？　そういうことを平気でする女なのよ、礼子さんは。私がちいさなころから、母はくりかえしくりかえし、彼女の悪口を私に言い続けた。子どものころの私は礼子おばさんを避けていた。母の言うとおり、意地悪なこわい人だと思っていたからだ。こんな家を出ていきたいと電話を寄こした三カ月前も、礼子さんと縁が切れたらどんなにか気分がいいだろうと、あいかわらず言っていた。それがなぜ露天風呂の約束になるのか。本当の姉妹みたいになるのか。

「礼子さんはどこにいったの、今はいないようだけど」私は訊いた。嫌味を通り越して、意地悪をしている気分になった。

「ああ、お花を摘んできてくれるって」母は鼻のチューブを片手でいじりながら答えた。お花。母の世界はどこまでもメルヘンらしい。

倉西さーん。陽気な声とともに、若い看護師が部屋に入ってきた。私と母は彼女に視線を移した。

「あのねえ、今日の検査の結果がよかったら、明日にはお鼻のチューブがとれますよ。そうしたら、明日からお食事の練習しましょうねえ。娘さんがいらっしゃるからちょうどいいわ。ねえ？」

看護師は、幼児に話しかけるような甘い声で母に言う。母を見ると、真剣な顔で彼女を見上げ、小刻みに幾度かうなずいている。温泉宿にいるつもりの母にとって、白衣を着たこの女性はだれに見えるんだろう。彼女が去ると、母は声をひそめるようにして、

「あの人、子どもが三人いるんですって。偉いわねえ、それでこんなたいへんなお仕事して。看護師なんて並大抵のことじゃできないわよ」と言う。母の認識具合がどうなっているのか、私にはさっぱりわからなかった。

午後になると、数人の看護師が母を車椅子に乗せ、何かの検査に連れていった。私もともに病室を出、母を見送って外来患者受付の隣にあるレストランにいった。面会時間前のこの時間、レストランにいるのは、足や腕を折った若い男女ばかりだった。隅の喫煙席でもうもうと煙草《タバコ》を吹かしたり、大テーブルに陣取ってカスをこぼしながら菓子を食べたりしている。

私は窓際の席に着き、中庭を見ながらサンドイッチを食べた。休んでいる仕事のことや母の珍妙な妄想のこと、何か考えようとしたのだが、考えようとすると、ものごとは頭のなかでばらばらとほぐれ、日向《ひなた》に置かれた氷みたいに溶けだして消えた。中庭の光景も、考えと同じく、まとまりがなかった。私の目は、生い茂る木々の緑やときおり水を吹き上げる噴水や、散歩する老人や付き添う看護師の白衣をとらえている

はずなのに、それらの中心は微妙にずれて、何か実体のあるものを見ているという気がしなかった。得体の知れない場所に入りこんでしまったような不気味さが、濡《ぬ》れたシャツみたいにまとわりついていた。

空腹はまったく感じなかったのに、気がつくとサンドイッチをすべて食べてしまっていた。酸っぱさだけが強いコーヒーを飲みながら、皿に残った一本のパセリを見る。レストランの料理に添えられているパセリを、絶対に食べてはいけないと、私が幼いころ母は言っていた。母はなぜか、添え物のパセリというのは、残した客の使いまわしだとかたく信じていた。見てごらんなさい、こんなに乾燥してるじゃないの。母は、何か汚らわしいものに触れるようにつまんで見せたりした。食べてはいけない理由というのは、けれど幼い私にはよくわからず、パセリは食べものではないのだろうと理解していた。年齢を重ねても、ちょこんとのせられてくる添え物のパセリを私は食べることができなかった。それはもはや作り物のように思えた。

今も私はこうしてパセリを皿に残している。しかし、パセリを食べてはいけないということと、温泉宿で旅館の娘の踊りを見たということと、どれくらいの違いがあるんだろうと今思う。ひょっとしたら今まで私は、母の妄想を聞かされて育ってきたのではないか。世界は悪意に満ちていると言い連ねてきた母こそが妄想を見ていたのであり、いまようやく、その悪夢から目覚めたのではないか。彼女が昨日から私に語る話こそ、現実ではないのか。嘔吐臭の漂う病室は、ひょっとしたら花の咲き乱れる庭に面した温泉宿の一室ではないのか。私はにわかに不安になる。私が今まで見てきた世界は、私自身のものだったのか、それとも、母親の目を借りて見ていた一枚の布地だったのだろうか。

皿に薄い影を映すパセリを、私はそっとつまんで、口に入れた。もさもさした青くさいにおいが口じゅうにひろがった。

レストランを出、売店で雑誌を立ち読みし、薄暗い廊下をわたって入院病棟へ移り、エレベーターに乗る。そろそろ母の検査も終わっているだろう。面会者の受付がすでにはじまっており、エレベーターは見舞い客で混んでいた。中年女性の持った花の、甘い香りがちいさな箱に充満している。五階でエレベーターが扉を開き、数人の見舞い客とともに降りる。エレベーターから続く待合室を横目に見ながら病室へいこうとして、私は足を止めた。

窓際に並んだベンチの前に、車椅子に乗った母がいた。点滴を下げた滑車つきのポールを片手で握りしめ、赤黒い胃液のたまったビニール袋を車椅子の後方にぶら下げた後ろ姿は、母だった。母が向き合っているのは、いつ病院にきたのか、父だった。ベンチに座った父と母は談笑していた。その場に突っ立って動けなかったのは、彼らがまったく知らない男女に見えたからだ。母は若い女性のように小首を傾《かし》げ、点滴の刺さっていないほうの手で口元を隠して笑い、父はガウンを着た母の膝《ひざ》に軽く手をのせ、何ごとか熱心にしゃべっては笑っていた。窓から射しこむ強い陽のせいで、彼らの輪郭は光を放ちながらぼやけ、病人と見舞い客ではなくて、老いや病とは無関係の、もっと言えば嫌悪や憎悪とも無関係の、初々しく清らかな何かに見えた。

反射的に私は二人に背を向け、エレベーターのボタンをせわしなくかしゃかしゃと押した。階数表示を見上げると、八階から動こうとしない。私はその場を離れ、エレベーターわきにある階段を駆け下りた。

私が結婚しないのは母を見ていたからだった。結婚というものがいかに人を不幸にするか母にくりかえし教えられたからだった。電話をかけ母の異変を嘆くような親しい友だちがいないのは、人は悪意に満ちていると母に言われ続けたからだった。絵を描くのが好きだったのに美大ではなく女子大に進んだのは母に反対されたからだし、二十二歳から八年間で職場を三度変わったのは母にそう勧められたからだった。

ずっとそう思っていた。ずっと思っていたそのことが、母の思考回路とまったく同じであることに、窓のない暗い階段で気づく。今さらながら気づく。たしかに私もすがるように母のせいにしなければ、今の自分を肯定できないに違いない。もしその言い訳をすべて手放さなければならなくなったとしたら、私に見えるのはいったいどんな世界なのだろう。

名前を記入する面会者たちで混む受付を通りすぎ、病院の外に出ると、おさえつけるような熱気が私を包んだ。光景はやけに白んで見えた。木々の葉もアスファルトもタクシーの車体も、白く発光しているようだった。外来患者の受付の前を過ぎ病院の敷地を出、横断歩道をわたってバス停まで走っても、光景は本来の色を取り戻さず、白っぽいままだった。汗がいっせいに噴き出すように流れた。

たぶん明日には――バスがくるはずの方向を見遣り、私はあわただしく考える。たぶん明日には、母は元通りになっているだろう。食事のまずさを嘆き、見舞いにきただれそれのことを悪し様《あざま》に言い、退院したらあの家を出ていくと、私に向かって言い募るのだろう。それが待ち遠しいような気もし、また不気味さが続行するような気もした。

流れる車のなかに、バスの姿はなかなか見えなかった。さっき口に入れたパセリの苦さが思い出したように広がった。私はうつむき、ぺっと唾《つば》を吐きだした。なかなか色を取り戻さない光景のなか、私の吐いた唾だけが、きちんとアスファルトに黒い染みを作った。

マザコン

マザコンと言われた。心外だった。

それは違うだろうと、だからぼくは言った。橙色《だいだいいろ》の明かりが灯《とも》る、静まり返った深夜一時過ぎのリビングで。明日は八時半から会議があるから七時半には家を出なくてはならない、七時半に家を出るとするなら六時半に起きないといけない、六時半に起きるとするならもう眠らなくてはならないのだが、マザコンと言われてすごすごと寝室にいく気にはなれなかった。

「違わないわよ、あなたはマザコンよ、正真正銘の」ソファに腰かけた佐由理は、いばりくさって言った。うちには車が五台、テレビは三台あるのと、幼稚な嘘《うそ》をついた小学校の同級生を思いだした。そんな根拠のないいばりかただった。

「何が正真正銘だよ、じゃあマザコンの定義を言ってみろよ。きみがマザコンだというならまだしも、おれがマザコンってことはないだろう」

「定義だって、馬鹿みたい。すぐそういうこと言うよね。男ってさあ、マザコンって言われるとかならず怒るわよね。怒るのがいい証拠じゃないの。マザコンなのよ」

サイドテーブルにいくつも並べたマニキュアの瓶にひとつずつ触れながら、やけに楽しそうな口調で佐由理は言う。

「だから、どういうところがマザコンなのか言ってみろよ、だいたい……」

言いかけたぼくを、佐由理は大声で遮った。

「あのね、そうやってぜんぶ言葉にしようとするところ。そこがマザコンだって言ってんの。そうやってコーヒーを買い忘れた理由をなんでいちいち説明すんのよ。だいたいさあ、さっきの話、コーヒーを買い忘れた理由をなんでいちいち説明すんのよ。だいたいさあ、さっきの話、私はあなたの母親じゃないの。あらまあ、そうだったの、それならコーヒー忘れてもしかたないわねえ、って言ってほしいわけえ？」

佐由理の声がきんきんと頭に響く。

「まだそんなこと言ってるのか、コーヒー忘れたのがそんなに許せないのか」

言いながら、事態の馬鹿馬鹿しさに気づいている。

「そうじゃないでしょ、コーヒーの話をしてるんじゃないの。どこがマザコンなんだって言うから説明しているだけ。あなたはすぐ話をずらすのよね」

佐由理はおおげさにため息をつき、手を広げゆっくりとマニキュアを塗りはじめる。佐由理の親指の爪《つめ》が紫色にてらてら光る。無性に腹立たしくなり、しかし何を言ったところで言い負かされるに決まっているから、ぼくは寝室へと向かい、思いきりドアを閉めた。

　失敗だった、結婚は失敗だった。ベッドにもぐりこみ布団を頭からかぶり、頭のなかでくりかえす。佐由理は気味が悪くなるほど執念深い。頼まれていたコーヒー豆を二日連続で買い忘れた、それだけのことを、数時間にわたってねちねちと言い立て、きっと来年になってもこの時期になればその話題を持ち出してぼくを責めるのだろう。すぐにヒステリックな大声を出すから、冷静な話し合いというものができない。いや、大声を出さなかったとしても、考えを論理的にまとめる能力が欠如しているから、そもそも話し合いは不可能なのだ。

　恋愛中は、大人の女だと思っていた。ぼくは馬鹿だ。年齢にだまされたのだ。六つ年上だから大人だろうと思いこんだのだ。肉体年齢と精神年齢は関係がないって気づかなかったのだ。もうすぐ三十八歳になろうっていうのに佐由理の中身は小学生のまんまだ。

　たかがコーヒー豆じゃないか。切れているならインスタントで代用すればいいだけの話じゃないか。マザコンなんて言葉を持ち出してきて人を貶《おとし》めるようなことじゃない。

　ああ、そうだ、佐由理は憎むことしかできないんだ、それが彼女のすべてのコミュニケーション方法だ、憎んで人と関わることしか彼女は学んでこなかったんだ。ぼくは布団のなかで目を開ける。いいぞ、と思う。いい気になって爪を塗る彼女に、これを言ってやればたいそう傷つくだろう。きみは憎しみしか知らないんだね。気の毒に。そう言ってやるために起きようかと思うが、しかしぼくは布団から出ない。言い返されるのがこわいからではない。この一言は切り札にとっておくのだ。また彼女が小学生レベルの難癖をつけてきたら、そのときこそぼくは薄く笑って言ってやる。

三時まで目がさえて眠れないだろうと覚悟していたが、切り札に安心して眠気はすぐに訪れた。

小机《こづくえ》の文房具屋を数軒まわってから、いつもいく食堂に向かったが、めずらしく混んでいて席がない。しかたなく、もう少し車を走らせ、岸根の交差点で左折して、最初にあらわれたファミリーレストランに入った。客は少なく、窓際の席に通される。ランチセットを頼んでから、携帯電話を見ると佐由理からメールがきていた。母親と食事をして帰るから遅くなる、という意味のことが書かれていた。はっ、とため息をつき携帯電話をソファに放り、ぬるいおしぼりで顔を拭《ふ》く。

佐由理は一週間に二、三度母親と会う。仕事帰りに食事にいったり、週末に買いものにいったり、芝居を見にいったりする。六十歳を過ぎている佐由理の母親は、どうかと思うくらい若作りで、歩く二人の後ろ姿を見ると姉妹にしか見えない。彼女たちの声はよく似ており、まったく同じような口調で話す。そうだよねー、えーマジ？　やんなっちゃうよね、それがさあ、というふうに。

　ぼくとの用事より母とのそれを優先する佐由理が、結婚当初は当然おもしろくなく、幾度か話し合いを試みたことはある。母親に依存しすぎなのではないか、結婚したのだから親離れ子離れをしたほうがいいのではないか、それから、三十歳を過ぎてママと呼ぶのは家のなかだけにしたらどうか。もちろん話し合いにはならなかった。逆上してヒステリックに叫ぶ彼女の、言葉にならない言葉を、推測と補足を交えてまとめてみると、こういうことだった。佐由理は思春期のころから母が嫌いだった、しかし嫌いという感情こそが依存から生じたものであって、依存をしなくなった今、不必要な期待をすることなく母をひとりの人間として見ることができ、だからこそ親しくつきあえる。自分の母親をどのように呼ぼうが他人にとやかく言われる筋合いではない。

　わめき声に気圧《けお》されてぼくは納得したふりをした。ぼくとしてはもっと話し合いたかったのだが（親しく、というのにも限度があるのではないか、夫より母と食事をする回数が多いのはどうしたっておかしいのではないか）、きゃんきゃんわめきながら佐由理がついに泣き出したので、それ以上の話し合いは不可能だった。以来、ぼくは佐由理と母の会合については何も意見しないし、話し合いも持たない、疑問は疑問として放置してある。

ランチセットが運ばれてくる。魚介のフライにかき玉スープに野菜サラダ。湯の味のするかき玉スープを飲み乾燥しかけた野菜サラダを食べ、窓の外を見るともなく見る。澄んだ空を背景に新幹線が走っていく。

上京して以来、山梨に住む母とほとんど連絡をとらないし、盆暮れにもめったに帰らない。何ごとにつけ相談したことはないし、またぼくの決定に母が意見したこともない。つい二年前に聞いた母の再婚話にも、突然だったので驚いたことは驚いたが、とくべつなんの感情もわかなかった。長男として安心はしたが、その程度だ。再婚相手にも、いい人そうだという感想以外のものはない。

母がどういう人なのか、じつはぼくは知らないんじゃないかとすら思っている。ぼくを身ごもり、産み、育て、十八年間同じ屋根の下で暮らしながら、しかし他人よりも母のことを知らないんじゃないかと。

まずい、と思いながら米粒ひとつ残さず食べ終えた。薄いコーヒーを飲み、煙草《タバコ》を吸い、外を眺める。街路樹の葉はみな黄色く染まり、陽を受けてそれぞれ輝いている。また新幹線が通る。このまま社名の入ったバンに乗って、新幹線のあとを追い、走っていくことを想像する。ふと体が軽くなりかけて、すぐさま三十二年と、数字が思い浮かぶ。三十二年。マンションローンの支払い年数である。今まで生きてきた時間と同じだけ、ぼくは銀行に金を返し続ける。それで何が手に入るのか、じつは日に日にわからなくなっている。

営業部の主任は小山田愛子という女性で、佐由理とほとんど年がかわらない。小山田愛子に比べれば佐由理は格段に若く見える。垢抜《あかぬ》けているし、顔立ちも美しい。そんなことがなんとなくぼくを得意な気持ちにさせる。しかし彼女たちは性格がよく似ている。まず、ねちっこい。AならAと言えばすむものを、Fのところから話し出して、E、D、Cとさかのぼって説明し、次はBでようやく本題かと身構えると、いきなりMあたりに話が飛躍する。

彼女のデスクの前に立って三十五分、ようやく本題に突入する。

「どうして新商品をそっくりそのまま持って帰ってくるわけ？　ねえ、窪田《くぼた》くん」

椅子《いす》にのけぞるようにして座り、おだやかな笑みで小山田愛子は訊《き》く。最初からそう訊けばいいのに、駅前のつぶれたラーメン屋の話だとか、安い自転車ばかり売る自転車屋の話を、なぜ三十分以上もしなければならないのか、ぼくにはわからない。本題に入ったことに安心してぼくは口を開く。

「小机の新田文具店はとりあえずB系列の商品を仕入れたばかりなので、そちらがはけるまでは見合わせたいということでした。スペースの関係です。それから白楽のエンゼルさんと村中さんは、来月まで様子をみたいということでした。それから菊名の田中商店ですが、来年早々に百円ショップにしようかって話が出ているらしいんです、ただお姑《しゅうとめ》さんが反対しているらしくて」

そこで言葉を切ると、愛子はぼくの顔をじっと見つめ、そのまま表情を動かさず、

「あんた、馬鹿？」と言った。

コーヒーを注《つ》ぎにきた給湯室で顔をざばざばと洗った。腰をかがめたまま水道の蛇口を締め、ポケットをさぐるが、ハンカチが入っていなかった。舌打ちをして、備品のペーパータオルで顔を拭く。濡《ぬ》れて指にからみつくペーパータオルが不快だった。そういえば出会ったころの佐由理も、ぼくを窪田くんと呼んでいたなと、そんなことを思い出す。

あと半年の辛抱だ。営業も、小山田愛子の相手も。

ぼくが就職したのは野崎文具という、決してちいさくはない文房具メーカーだった。三年前に商品開発部にまわされ、そこで商品管理をおもにやっていたのだが、なぜか、社員数名に今さら研修をかねた出向が命じられた。出向先のダイワは、野崎文具も取り扱う問屋で、いきなり初日から営業に駆り出されている。いったいいつの時代なのかと呆《あき》れたのだが、個人の営業成績が棒グラフで壁に貼《は》ってある。出向は一年と期限が決まっている。壁に貼られた馬鹿馬鹿しいグラフを見るたび、あと九カ月、あと半年と、正月を待つように指を折る。

「たいへんよね、窪ちゃん」

　ふりむくと、手塚さんが立っている。手塚さんはぼくより二つ年下で、長い髪を明るい栗色《くりいろ》に染めている。ぼくが唯一、この職場で気安くしゃべれる人だった。

「いきなりこっちにまわされてきて、研修も何もなくひとりで営業して、あんた馬鹿？　もないもんだよね。あの人世のなかのすべてをひがんでるからさあ、窪ちゃんなんかいいはきだめなわけよ」

「掃き溜《はだ》め？」

「あ、違う、えーと、はけ口」

　言い間違いがおかしくてぼくは短く笑った。あははは、と手塚さんも陽気に笑いながら、プラスチックの使い捨てカップにコーヒーを注ぐ。まずぼくに渡し、それから自分にも注いでいる。その姿を見ながら、ぼくはふと思いついたことをそのまま口にする。

「あのさ、六〇年代に生まれた女って、共通点があると思わない？」

「えー、何それ」

　流し台に寄りかかって手塚さんはコーヒーをすする。

「なんていうか、圧倒的に言葉が足りないっていうか、会話で何かを進めようとしないんだ。精神的に暴力的っていうかさ」

深く考えて言ったわけではなかった。ただ佐由理と小山田愛子をいっぺんに見下したかった。彼女たちの共通点というのが、六〇年代生まれ、ということしか思い浮かばなかっただけだ。しかし手塚さんは、

「あーわかるわかる。なんてゆうか、てんぱってるよね」と同意してくれるので、うれしくなる。

「そうなんだよ、不必要にてんぱってんだよ」と、ぼくは夢中で話す。「それってさ、女に言葉をうまくあやつれないからじゃないかと思うんだ。ほら、口の重い男がさ、女に言葉で追いつめられて、返せなくて手をあげる、ってあるだろ。あんな感じなんだよなあ」

廊下の隅にある、窓のない給湯室で、コーヒーを飲み終えるまでぼくらはそんな話をしあう。この茶髪の、二歳年下の、気安くため口で話しかけてくる女の子と恋愛をしていたら、どんな生活だったろうと考える。今よりはずいぶんと気楽だったんじゃないかと思う。

「ねえ手塚さん、おれってマザコンかな」

プラスチックのカップをゴミ箱に入れ、給湯室を出ようとした手塚さんに思いきって訊いてみる。手塚さんはふりかえり、まじまじとぼくを見て、次の瞬間、腹をおさえ腰を折って笑った。

「今日、ひまだったら飲みにいかない？　おれ、おごるし」

笑い続ける手塚さんに気づけばそう言っていた。


母のことを知っているつもりになっていたけれど、じつはなんにも知らなかったんじゃないかと思ったのは、三年前、父が入院していたときだ。父は癌《がん》で、入院したときにはもう、余命三カ月と診断された。週末ごとにぼくは山梨の病院に面会にいった。母は毎日父に付き添っていた。医師の言うとおり、三カ月目に父は亡くなるのだが、その直前のことだ。モルヒネを投与された父が、どの程度意識があったのか、むくみ、紫色の点滴あとが残る腕を毛布から出し、ベッドのわきにいる母に向かってのばした。当然ぼくは、弱々しいそのてのひらを、母が握るんだと思っていた。しかし自分に向かってのばされたその手を、母ははねのけたのだ。強い力ではない、蠅《はえ》を払うような何気ない仕草で、母は反射的に父の手を拒んだ。ぼくは驚いて母を見た。母はぼくに見られていたことに気づくと、ばつが悪そうに窓の外に目を向けた。

ぼくの知る母はおだやかな女性だった。ずっと専業主婦で、外の世界をほとんど知らないのんきなおばさんだった。ほとんど毎日のように、朝食の席で、父とぼくと弟に、今日の夜は何が食べたいかと訊いた。子どものころは、ハンバーグだの豚カツだのと、弟とぼくは競うように答えていたが、成長するにつれ、その問いを無視するようになった。新聞を読む父はもちろん答えたことはない。それでも母は訊き続けた。今日の夜は何が食べたい？　答えが返ってこないとひとりで歌うように会話していた。そろそろ秋刀魚《さんま》の時期かしら、でも昨日もお魚だったからすき焼きにでもしようか。そうね、すき焼き、いいかもね。そうしてその夜は、実際にすき焼きの夕食だった。

それが母だった。毎日夕食のことを考えている、夕食のことしか考えるべきことがない女性。高校に上がってからはそんな母親が鬱陶《うっとう》しかった。腹立たしくもあった。ほかに考えることがねえのかよ、と呆れた。世界はめまぐるしく動いているのに、母はひとり世界の外に座っていて、魚か、肉かとつぶやいているだけなのだ。哀れでもあった。恥ずかしくもあった。

家を出てみると、その母に抱《いだ》いていたマイナスの感情がゆっくりと反転した。大学に通い卒業し、就職し恋愛をし、それなりにあわただしい日々を送っていると、今日の夜は何が食べたいかという、毎朝くりかえされる問いが、揺るぎない平和そのものだったのだと思うようになった。父やぼくらきょうだいが、おもしろくないことがあってもどこかにいってしまいたくなっても、それでもとりあえずあの家に帰ってきて食事をし眠り、また翌朝出ていくことができたのは、母がああいう母だったからだと思うようになった。

だから、触れられることを拒んだ母は、ぼくの知らない母だった。こわばった顔で父の手を払いのけた女性は、今日の夜は何が食べたい？　と笑顔で訊く女性ではなかった。

父が死んでも母は泣かなかった。そんな母を親戚《しんせき》たちは褒めた。気丈だ、とか、しっかりしている、とか、そんなふうに。そうしてそのあときまってぼくらきょうだいに言うのだった。お葬式のあいだは気が張っているでしょうけれど、終わってみると、がくんと力が抜けちゃうから、ああいう気丈な人ほどそうなんだから、あんたたち、しっかりおかあさんを見ていてあげるのよ。

ぼくと弟は、幼い子どものように親戚の言葉にうなずき、母を守ってあげなくてはとぶっきらぼうな言葉で話し合ったのだが、しかし、父の葬儀を終えて四カ月目に、ぼくらは母から再婚するつもりだという連絡を受け取った。ぼくと弟は山梨に呼びだされ、その再婚相手を交えて四人で食事をした。相手は母より二歳年下の、会計事務所を営む男性だった。父より饒舌《じょうぜつ》で、父より快活だった。彼はまるで、生徒に人気のある教師みたいに、ぼくと弟になめらかに話しかけ、鷹揚《おうよう》にぼくらの話を聞いた。母はその日ほとんどしゃべらず、皇族が浮かべるみたいな笑顔を貼りつけたまま、ぼくと、弟と、再婚相手と、テーブルの上の料理を順繰りに眺めていた。父の一周忌が済んでから入籍するつもりだと、最後に母がひっそりと言い、それは相談ではなく単なる報告だったので、ぼくらは黙ってうなずくしかなかった。

東京に向かう電車のなかで、あれは昨日や今日のつきあいじゃないよな、と弟が言った。ぼくもなんとなくそう思っていた。しかし、今日の夜は何を食べたいかと訊かれ続けた、世はすべてこともないような毎日のなかで、母がいつあの男と出会いいつ恋をし、いつ未来を誓い合ったのか、推測のしようがなかった。やっぱりぼくは母を知らなかった。

父の一周忌が済むと彼らは入籍し、その直後、ぼくも佐由理との結婚を決めた。一応、母に報告するために、佐由理をつれて山梨にいった。以前四人で食事をしたレストランで、また四人で食事をした。母の夫はあいかわらず饒舌で快活だった。母は今回も皇族のような笑顔でぼくらを順繰りに見まわし、ときおり口を挟んだ。幼少期のぼくの失敗話や笑い話がおもだった。佐由理は笑い転げ、母の夫につられるように快活に話した。幸福というものを映像にしたらこの店のこのテーブルが映し出されるだろうと思うくらい、ぼくらは平和にその時間を過ごした。何もかもがうまくいっている家族。

帰り際、理想的なおかあさんだと佐由理は母を褒めた。やさしいし思いやり深いし、何よりも自立しているところがいい、私はラッキーだわ、と。佐由理が上機嫌なのがうれしくて何も言わなかったが、ぼくは母を気味悪いと思っていた。新しい夫と暮らす家にぼくらを招かない母、ぼくらの結婚について何ひとつ訊かない母、死のうとしている夫の手を払いのけた母、何があろうと今日の夜は何を食べたいかと訊き続けた母、ぼくの知らない女性。

パンツだけはいた手塚さんはベッドをおりて冷蔵庫を開け、

「私思うんだけどさあ、きっと窪ちゃんの奥さんって、窪ちゃんママに嫉妬《しっと》してるんだと思うなー」

そんなことを言う。ツードアの冷蔵庫の、橙色の光が手塚さんのまっすぐな脚を照らしている。

「そんなことないと思うよ。それに、ふつう逆じゃないの。姑が嫁に嫉妬するって話なら聞いたことあるけど」

ベッドにあぐらをかいてぼくは言う。はりついたティッシュを、手塚さんに気づかれないよう急いでとる。酔いはすっかりさめている。手塚さんは立ったまま缶ビールを飲んでいる。おれにも、と言うと、一本を投げて寄こした。プルトップを引くと、泡があふれ出てシーツを濡らす。

「だってさっきの話を聞いてると、理想的なおかあさん、って言ったんでしょう。その、理想的なおかあさんと比較されてるんじゃないかって心配なんだよ。だからマザコンなんて言うんだよ」

一気に飲んでしまったのか、手塚さんはビール缶を片手でつぶしゴミ箱に投げ入れると、床に落ちたブラジャーを拾い上げて、ぼくに背を向け、つける。

手塚さんといった焼鳥屋で、気がついたら、佐由理にも話したことのない母の話をしていた。手塚さんは意見することも質問することもなく、ふんふん、へえ、ふうん、と適度な相づちを打ちながら聞くので、ほとんど洗いざらいしゃべった。

「女ってこわいよね」が、すべて聞き終えた手塚さんの感想だった。なんだかずいぶん陳腐にまとめられてしまったと思ったのだが、いやそうじゃなくて、と話を蒸し返すのも気が引けて、本当だよ、とぼくも同意してみせた。

手塚さんは服を着終えてしまう。ベッドにあぐらをかいてビールを飲むぼくに、

「終電近いから帰るけど、窪ちゃんどうする？　いっしょに出るなら急いで。出ないなら、先いくよ」

これ飲んでからいくわ、と缶ビールを持ち上げると、

「わかった。じゃあお先。バイバーイ」

アルバイトを先にあがるような口ぶりで言い、部屋を出ていった。

結婚してから佐由理以外の女性と寝たのははじめてだった。手塚さんが、やる前もやっている最中も、自分を愛しているのかと訊かないので、ほっとしていた。それから終わったあとに、これからどうするのと詰問しなかったことにも。

手塚さん、いいなあ、と思いながらシャワーを浴び服を着る。佐由理と会う前に手塚さんに会っていたらどうなっていただろうと想像する。少なくともマザコンとは言われなかったと、それは確信する。

たった一度の浮気とも言えない浮気はすぐにばれた。あれほどさっぱりと帰っていった手塚さんが、職場ではいつも通りなのに、毎日のようにメールを送ってよこすようになった。「今度はいつにする?」というような内容ばかりで、「今日はだめ」と返信すると、「じゃあ来週の月曜日は?」「その次の金曜日は?」と、終わらない。それを佐由理に見られたのだった。

風呂《ふろ》から出ると、ぼくの携帯電話を握りしめた佐由理が、どういうことなの、とくってかかる。この女はだれなの。どこのどいつなの。名前はなんというの。年はいくつなの。濡れた髪にトランクス一枚のぼくにまくしたてる。

あの、手塚さんという職場の女の子で、三十歳で、と訊かれたとおりに答えると、「そんなことを訊いてるんじゃないっ」と、矛盾したことを言い出す。

「なんにもないんだ、ただ、彼女が恋人のことで悩んでいて相談にのって、そうしたらまた話したいことがあるからその日を決めてくれって、一方的にメールを書いて寄こすんだよ。でもこっちだってそんなに何度も何度も人の恋愛をねえ」

「ごまかさないで！」佐由理はどなる。「私にわからないわけがないでしょうっ、馬鹿にしないでよっ」リビングに仁王立ちになり、肩で息をしてわめき、両目から水滴が順繰りにこぼれ落ちる。「許せないっ、別れてやるっ、別れよう、明日私出ていくから」声をふりしぼるようにして言うと、ばたばたと寝室にかけこむ。追いかけていってみると、クロゼットから服を取り出してベッドに放り投げている。困ったことになった。そういうのではないことを佐由理に納得させなければならない。

「違うんだ、聞いて、ちょっと落ち着いて話を聞いてくれよ」

耳に届く自分の声は泣き出しそうにおろおろしている。この結婚は失敗だとぼくはたしかに思った、思ったが、こういうのはよくない。ただの誤解がこじれて喧嘩別《けんかわか》れになってしまうのはよくない。本当にただの誤解なのだ。そのことを知ってもらった上で、それで佐由理が別れたいというのならば仕方ないが、こちらの言いぶんも聞かず、意味もなく別れるなんていうのはよくない。だからぼくは、ものすごい勢いでクロゼットの服を掻《か》き出している佐由理に、なんとか説明しようと試みる。手塚さんに恋愛感情など持っていないし、向こうだってそうであるということを。飲みにいったのは一回だけで、そもそも佐由理が母親と食事をするというから自分も外食をしただけで、しかもマザコンだのと罵《ののし》られた直後だったからなんとなくむしゃくしゃしており、慣れない職場で仕事もうまくいかない鬱憤もあったし、相談に乗ってくれと手塚さんに何度も言われていたから、調子に乗って飲みすぎたのは認めるが、それでも断じて寝たりはしていないのだと、できるだけ冷静に、できるだけ誠意を持って、できるだけ順序正しく、できるだけ正確に、トランクス一枚のまま寝室に突っ立ってぼくは説明をはじめ、子細にわたって話しているうち、本当も嘘もごっちゃになってきて、手塚さんから受けた架空の恋愛相談の内容まで思い浮かぶほどだった。

　佐由理に向かって話しながら、自分の発する声にまったく違う声がかぶさるのを感じた。

　あのねそれでね。そのとき中丸くんがね。それでそれから公園にいってね。そしたら公園のトイレが使用禁止になっていてなかに入れなくてね。

　トランクス一枚の自分が、半ズボンをはいた子どもになる。狂ったように服をベッドに積み上げていく佐由理が、エプロンをかけた母親になる。フローリングの寝室が、リノリウムの台所になる。ああそうか、そういえば自分は何度も何度もこれをくりかえしてきたなと、頭の隅の隅で思う。他人の家の窓ガラスを割ったとき。酒屋の裏口からコカ・コーラを盗んだのがばれたとき。友だちに怪我《けが》をさせたとき。塾の月謝でゲームを買ったのが見つかったとき。母は怒らなかった。いったいどうしてそんなことをしたのか説明しなさいと母は言うのだった。だからぼくは説明した。ひとつも漏らすことなく状況を説明しようと試みた。話せば許されるはずだからだ。話しているうち嘘が混じる。許されるための嘘だ。自分で何が嘘で何が本当かわかる。自分が卑《ひ》怯《きょう》な人間であると幼いぼくは知る。その罪悪感から逃れるために嘘の部分をさらに細部にわたって説明する。すると嘘がようやく嘘に思えなくなってくる。全部が自分の体験した本当だと思えてくる。卑怯な人間だ、と思う気持ちは薄れる。すべて聞き終えると、母はうなずく。それだけだ。怒らない。許されたのだとぼくは知る。

このことか、佐由理が言っていたのは。手塚さんから受けた恋愛相談の内容をこと細かく語りながら、ぼくは気づく。マザコンってこのことだったのか。なるほどそういうことを言っていたのか。言いたいことはわかる。わかるけれど佐由理、それは違う。どう違うかというと。口で話していることと、頭で説明を試みることがごっちゃになって、ぼくは口を閉ざす。

部屋がしんと静まり返る。こんなにこの部屋は静かだったか。その静けさのなかでぼくはふと思う。

ぼくは母を知らなかった、母はぼくを知っていたのだろうか。ぼくの口から悪事を働いた理由を話させ、嘘も事実もごっちゃにして話させ、そうしてぼくという人間を知ったと思っていたのだろうか。今は知っているんだろうか。

ぼくは、幼い子どものように何もかも母に打ち明けたい衝動を覚える。電話をかけ、佐由理とはどこで出会ったのか、なぜ結婚を決めたのか、野崎文具でどんな仕事をしていたのか、今出向先でどんな仕事をしているのか、小山田愛子にどんなことを日々言われているのか、どういう理由でこの結婚は失敗だと思ったりするのか。なぜ手塚さんと関係を持ったのか。ぼくの日々を形成しているものごとを、ぼくが考えることのひとつ残らずを、リノリウムの床に立ちスリッパを履いた母の足元を見て、ぜんぶぜんぶぶちまけるように話したくなる。

ぼくははじかれたようにベッドに飛び乗り、佐由理がクロゼットから出して積み重ねた服をつかみ、佐由理を押しのけてそれを元に戻していく。ハンガーがうまくひっかからず何枚かがクロゼットの床に落ちる。それにかまわずベッドの上のものをとにかくクロゼットにしまい続ける。これから先、ぼくは母を知ることはないだろう。ぼくのなかで母は永遠に何が食べたいかと訊き続ける。

佐由理の出した服をすべてクロゼットに押しこみ、扉を閉める。扉の隙間《すきま》から、クリーニングのビニールカバーやスカートの布端がはみ出している。肩で息をしながらふりかえる。佐由理はそこに立って表情のない顔でぼくを見ている。切り札があったはずだ。佐由理を傷つける切り札があったはずだ。今それを言えばいい。ぼくは口を開く。

ごめんなさい。それがぼくの口からこぼれ出た言葉だった。情けない。みっともない。しかしそれしか言葉が思い浮かばない。ごめんなさい。佐由理はなんにも言わずにぼくを見ている。ぼくらは埃《ほこり》の舞う寝室に突っ立って見つめ合う。母の帰りを待ち続けているきょうだいみたいに。

「服くらい着たら」

ようやく佐由理が声を出し、トランクスしか身につけていないぼくは、寒いと今さらながら気づき、どこか遠くから響く自分の声を聞く。明日の夜は、何を食べようか。

ふたり暮らし

買いものは楽しい。買いものをすると何かいいことが起きるような気がする。とくに衣類や下着を買ったときはそうだ。軽い足取りで地下のホームにおりると、ほぼ同時に赤い電車が走りこんでくる。そんなことも「いいこと」のひとつに思える。もういいことが起きはじめている、その証拠のように。

こういうの、男の人にはわかんないんだろうなあ、と乗車口のわきに立って思う。たとえば原口さん、原口さんなんかには、ぜったいわかんないんだろうなあ。そう考えてしまうのはよく知っている男の人というのが原口さんしかいないからだ。原口さんはだから、私にとっては全世界の男の象徴である。いや、日本男児の、くらいにしておこうか。

新宿で大量の乗客が降り、車内はがらんとする。私は端の席に座り、手にした軽い紙袋をそっと膝《ひざ》に置く。鼻を近づけてにおいを嗅《か》ぐ。そんなはずはないのだが、ふわあんと甘い花のようなにおいがする。

こういうの、男の人にはわかんないんだろうなあ、と思うことは多々ある。私の感じることの大半を、男の人はきっとわからないと思う。買いもののあとの「いいこと」もそうだし、コース料理でまずデザートから決めていくべきだという主張もそうだし、プレゼントの箱にリボンがあるのとないのとでは大違いなことも、新品の本のかぐわしいにおいなんかも、クリーム色ではなくてたまご色としか表現できない色の存在も、きっと男の人にはわからない。そんなことを考えると、私、やっぱり男の人とは暮らせない、と思う。とてもさっぱりした気持ちでそう思う。

女という女が男とつがいたいわけがない。ひとりものの女という女が恋愛を求めているわけがない。人生にはもっとゆたかでうつくしいことがたくさんある。

電車が停《と》まり、私は数人とともに降り、向かい側に停車している電車に乗り換える。数分ののち、電車はまた暗闇《くらやみ》のなかを走り出す。

地下の改札から地上に向かう階段を見上げると、縦長の四角が白く光っている。光の出口。階段を上がるにつれて光は弱まり、光景が見えてくる。

横断歩道を渡り、数少ない商店が並ぶ歩道を歩く。空は晴れ渡っていて空気はぬくぬくしている。平日の歩行者は少ない。歩いているうち気分がよくなり、最近できたばかりのケーキ屋でケーキを四個買った。右手にケーキの箱、左手に紙袋をさげて家を目指す。商店がとぎれると、マンションや民家が並ぶ。

駅から十二分ほど歩いたところに私の家がある。桜の木はすっかり花が落ちて、今は緑の葉をみっしりとつけている。ぐみの木も実のならない桃の木もたっぷりと葉を茂らせている。門をくぐり敷石を踏み、引き戸を開けて母を呼ぶ。

「ノブちゃーん、ケーキ買ってきたわよう」

あらそうお、どこの？　母の声だけが廊下をすべってくる。

「商店街に洒落《しゃれ》たお店ができたじゃない、あそこの」

言いながら靴を脱ぎ、きちんとそろえてから廊下を進む。母は居間でアイロンをかけていた。顔を上げ、

「あら、私もあそこのケーキ買おうかしらって思ってたの。おいしいかしらね。今お茶入れる」

と笑顔を見せる。

「いい、いい、私やるわ」

立ち上がりかけた母を手で制し、居間の向かいの台所にいく。やかんに水を入れ、ガスの栓をまわし、食器棚から紅茶ポットをとりだす。母が入ってきて、ケーキの箱を開けている。

「まあ、きれいねえ」

「ノブちゃん、好きなの選んでいいわよ」

「いいわよ、クーちゃんが先に選びなさいよ」

「じゃあ私はこのタルトにするわ。ひとつずつ食べて、残りは夕食のあとで食べましょう」

「そうね、じゃあ私はこの白いの。これはなあに？　チーズかしら」

会話しながらお茶の用意をし、盆にのせて居間に運ぶ。アイロンはすでに終了しており、アイロン済みの衣服はハンガーに掛けられ、アイロンはアイロン台に立てられている。

「クーちゃん、アイロン触っちゃだめよ、まだ熱いから」

台所から母が言う。アイロン触っちゃだめよ熱いから、と私は子どものころから言われている。母はいつまでも私のことをほんの子どもだと思っている。四歳かそこらから成長していないと思っているのだ。

「宅配はいつ届く？」ソファに並んで座った母が訊《き》く。

「明日には届くわよ」

「ありがとう、助かったわ。もうお米だのなんだの、重くて運べやしないから。あら、おいしいこのケーキ。あたりじゃない」

「ほんとね、意外にいけるわね。ついでに下着も買っちゃった。あのね、エレスよ」

「なあにそれ」

「エレスってフランスのブランドよ。お値段も立派だけど、そりゃあすてきなの」

「まあ、見せてよ」

「あとでね」

「お買いものは下着だけ？」

「そうね、地下食料品売場から四階に上がって婦人服も見てみたけど、今ひとつだったわ」

「今は季節が中途半端だから、お洋服を買ってもね」

会話がふつりととぎれる。母は立ち上がってテレビのスイッチを入れる。とたんに居間は騒々しくなる。昼のワイドショーは健康特集をやっている。スタジオのコメンテイターたちがきゃあきゃあ言いながら奇妙な体操をしている。ケーキを食べ終わり、足元に置いた紙袋を引き寄せる。薄紙の包みをそっととりだし、ていねいに開いていく。

「これよ、これがエレス」

テレビを眺めている母に言うと、母は膝に広げた下着に目を移す。

「まあ、ずいぶん……」とそこで言葉を切り、「いくらするの、これ」と訊く。

「ブラジャーは二万八千円。ショーツは一万二千円」

「すごい値段ね」

「フランス製だもの」

「着てみなさいよ」

「そうね、着てみようかな」

私は下着を抱えて廊下の奥の風呂場《ふろば》にいく。脱衣所で服を脱ぎ、下着を脱ぎ、買ったばかりの下着を身につけていく。するするした感触が心地いい。

母の前で下着を着てみせると女友だちに言ったら、いや、モンちゃんですら、奇異な目で私を見るだろう。私は買ってきたものはなんでも母に見せる。靴もはいてみせるし、ワンピースは着てみせる。下着姿も当然見せるのである。モンちゃんは三つ下の妹で、同じようにこの家に生まれ同じように母に育てられたのに、思春期のころから買ってきたものを隠すようになった。服も靴も、鞄《かばん》も雑誌すらも、こっそりと自分の部屋に持っていくのだ。いつかはばれるというのに。おねえちゃんのことが私わからないわ、とモンちゃんはくりかえし言っていたが、私だってモンちゃんの考えていることがわからない。

「どう、どんな感じ」

脱衣所の外から母の声がする。

「じゃーん！」

言いながらドアを開け放つ。

「まあ、着てみるとすてきじゃないの。水着みたいだけど」

「やっぱり高いだけのことはあるわね、胸の位置が高いもの」

「ご立派な体つきですこと」母は笑いながら居間に戻る。私は手早く服を着て、鏡で胸の位置を確認する。たしかに胸の位置が高くなっている。

「夕飯のお買いもの、今日、私いってこようか？」ケーキ皿を片づけている母に訊く。

「あら、じゃあいっしょにいきましょうか。四時ごろでいいかと思ってるんだけど、天気もいいし、もっと早くにいこうかしら」

「そうよ、天気いいから、少し歩きましょうよ、気持ちいいわよ」

居間のソファに腰を下ろして私は言う。テレビでは体操が終わって、さっききゃあきゃあ言っていたコメンテイターが真剣な面もちで、殺人事件について何か語っている。

モンちゃんは二十歳《はたち》で家を出ていった。ひと騒動起こしていった。都内の大学に通っていて都内に家があるのだから、何もわざわざひとり暮らしをすることもないでしょう、体裁が悪いわ、と母は言い、体裁はともかく母の言葉の前半には私も内心で同意していた。そう言われてモンちゃんは逆上した。そういうんじゃないって何度も言ったでしょッ、はっきり言わないとわかんないなら言ってやるわよッ、私はね、私はね、この家もあんたも大ッ嫌いなのッ、おとうさんが出ていった理由が私にはわかる、おとうさんもこの家とあんたが大ッ嫌いだったのよッ！　と、ふつうにしゃべればいいものを、泣きながら文字通り絶叫した。

私たちの父は、私が高校生、モンちゃんが中学生のときに、よそに女を作って出ていった。よその女というのが、どこのだれで、父がどこに出ていったのか、母は私たちには言わなかった。ある日学校から帰ると、庭先に母がしゃがみこんでいた。丸めた背中が震えているので、泣いているのかと思ったが、位置を変えて母の手元をのぞきこみ、そうではないとわかった。シャベルを握った手を何度も土に突き立てている。子どものおもちゃのようなシャベルで土を掘り返しているのだった。シャベルを握った手を何度も土に突き立てている。母が何をしているのかはわからなかったが、見てはいけないものを見てしまったと思った。見なかったふりをして家に入ってしまおうと思うのに私はそこを動けなかった。母はふりかえり、私に気づき、泥だらけの手を隠そうともせず、「今日のお夕飯は何にする？」と薄い笑みを浮かべて言った。

モンちゃんは大学を出て健康食品を扱う会社に就職し、二十七歳で同じ会社の人と結婚した。今では二人の子持ちである。まだこの家が嫌いらしく、ほとんど帰ってこない。嫌いと言い放たれた母もモンちゃんの家を訪ねることをしない。私、あの子苦手だわ、といつか言ったことがある。自分の子だって思えないときあるわ。家を出ていくときだって、なんだったのあれは。吠《ほ》えたり泣いたりして、私が何をしたって言うのよ。母はおそらく、父のことを言われたのが許せないのだ。あれから十五年たった今も許せないでいるのだ。モンちゃんのことを憎んですらいるのではないかと思う。父を憎んでいるように。だからモンちゃんが産んだ子どもにも会いたがらない。

私は仕事をやめてから、三、四カ月に一度はモンちゃんの家を訪れている。母と妹を断絶させたままにしておいてはいけないという、長女としての自覚がある。モンちゃんはずっと同じ会社で働き続けているから、土日か平日の夜に訪ねていくことになる。モンちゃんは千葉の本八幡《もとやわた》に住んでいる。三十五年ローンを組んで買ったマンションに。

ねえ、あの家とノブちゃんの、何が嫌いだったの、とモンちゃんに訊いたことがある。最初の子どもを身ごもっていたころだと思う。平日だったから、きっとモンちゃんは産休中だったのだ。

言ってみれば支配欲よね、とモンちゃんは夕食の支度をしながら答えた。

私が学校いってるあいだにあの人は勝手に部屋に入ってるって中学生のころ気づいたの。手紙も日記も教科書の落書きも、全部チェックしてたのよ。私、やめてってはっきり言ったの。でもあの人はそんなことしてませんの一点張り。それだけじゃない、男の子からの電話もとりつがなかったし、私の進路まで勝手に決めようとした。それにおとうさんのこと。自分で憎むのは勝手だけど、私たちにも憎むことを強要したでしょう。あの人が働きに出なくてもそれまで通り私たちがふつうに暮らせたというのは、おとうさんから何らかの援助を受けていたはずなんだよ。少なくとも私にはいいおとうさんだったたし、感謝もしてる。だから志望校に合格したときに連絡したいって言ったら、あの人なんて言ったと思う？　あなたのことなんかとうに忘れているに違いないじゃない、だって捨てられたのよ、あなた。こう言うんだよ。このままここにいたら気が狂うって本気で思って、大学の最初の二年間、授業もろくに受けないでアルバイトしてお金貯めたんだよ、私。

とモンちゃんは言った。そうして優越感の混じった目つきで私をちらりと見て、おねえちゃんはそういうこと、わかんないだろうけどね、とつけ足した。

私は笑い出したいのをこらえなければならなかった。母が私たちの留守中に部屋をあさっていることなんて、小学生のころから知っていた。なぜあさるのか、それは隠すからだ、という道理も知っていた。だから私は部屋から秘密を取り去った。日記も手紙も机の上に広げて置いておけばいいのだ。赤点のテストも、アドレス帳も。買ってきたものはみな母に見せる。隠すから暴かれるという道理を、モンちゃんがなぜ十年近くも学習しなかったのか、私には謎《なぞ》だった。男の子の電話と受験に関しては、モンちゃんは運が悪かったとしか言いようがない。私は母の勧める女子高から女子大に進んだので男の子からの電話もなく、進路でもめることもなかった。しかしそれにしたところで、何か対策はあっただろうにと思わずにはいられない。父のことだって、母の言っていることは客観的に正しい。私たちは捨てられたのだ。大学に合格したと電話したところで、祝ってくれるはずがない。たぶん母は、モンちゃんをそんなことで傷つけまいとして、強く言っただけだろう。要するにモンちゃんは子どもなのだ。優越感の混じった目つきの妹が、私はおかしくてたまらなかった。

モンちゃんは二十九歳のとき女の子を、三十一歳のとき男の子を産んだ。今では上の子が六歳で、下の子が今年四歳になる。乳児のころから彼らを保育園に預けてモンちゃんは働いている。「私はおかあさんみたいにはならない」というのがモンちゃんの口癖である。たしかにモンちゃんの家は私たちの家とは正反対だ。いつも散らかっていて不潔だし、食卓には出来合いの総菜が並ぶ。モンちゃんの旦那《だんな》さんはいやがらずに食器を洗い、洗濯物をたたむ。子どもたちは野生動物のようだ。立って食事をしてもとっくみあいの喧嘩《けんか》をしてもモンちゃんは怒らない。長女の陸子《りくこ》にピンク色の服を着せることもなく、長男の海図《かいと》に英語を習わせることもない。

でも結局。モンちゃんちからの帰り道、私はやっぱり笑い出したいのをこらえた。モンちゃんのものさしは、でも結局母じゃないの。母とあの家から逃げ出したつもりでいて、でもまだ縛られているんじゃないの。本当にモンちゃんは子どものまんまなんだから。

ノブちゃん、今日私お昼ごはんいらないわ。朝食の席で言うと、母はぴくりと片眉《かたまゆ》を上げ、「仁川《にかわ》さん?」と訊く。仁川さんは今でも親交がある、唯一の元クラスメイトだ。二年前離婚して、仁川さんも実家で暮らしている。

「原口さんよ」私は答える。母の小鼻がすっと広がり、もとに戻る。

「ああ、原口さんね。どこで会うの?」トーストにバターを塗りながら母は訊く。

「会社のそば。うんとおいしいカツ屋さんがあるんですって」

「あら、お昼は豚カツなのね。じゃあ夜はお刺身にでもしましょうか。さっぱりと」

「そのカツ屋さん、本当においしかったら今度いっしょにいこうね」

「そうね、じゃ、厳しく採点してきてね」母は笑う。「でも、原口さんだからなあ」

トーストの耳をきれいに取り去りながら母は笑みのまま言う。「あの人、何食べてもおいしい、おいしいじゃない。千世寿司《ちよずし》さんがお休みで、仕方なくへんなお寿司買ってきたときも、まずくて食べられたもんじゃないのに、おいしい、おいしいって。この人、お寿司食べたことないのかしらって思ったわ」

「あの人、体が大きいじゃない?　細かいところまで神経が届かないんじゃないかと思うのよ。あの人の舌はきっと、食べものかそうでないのか感知するのがせいぜいなんだと思うわ。それで、あ、食べものだ、と思うと、おいしいってことになるのよ」

「ま」母はまた声をあげて笑う。

原口さんは私がはじめて勤めた会社の同僚だった人だ。私は幾度か職場を変わり、結局今はなんにもせずに家にいるが、原口さんはまだ同じ会社に勤めている。二十三歳のとき、原口さんに好きだと言われた。好きだって言われたのよ、と報告すると、うちに連れていらっしゃいと母は言い、恋愛には至らなかったが友人関係は今も続いている。原口さんの結婚式に私は母とともに出席した。

「原口さんとどうこういうのは、ないの？」母は耳を切り取ったトーストにオムレツをのせて食べている。

「あるわけないじゃない。養育費をあと二十年払い続ける人とどうこうなんか、あるはずないわ」

原口さんは三十歳のとき離婚した。定年まで養育費を払う契約が元妻とのあいだで交わされているらしい。

「ま、それもそうだけれど。あなたもずっとここにいるわけにはいかないんだから、原口さんのお相手なんかしていないで、だれかいい人を見つけなさいよ」

はあい、とふざけたような返事をして、食堂を出る。門のところではいておいてちょうだいな、と母の声が聞こえてきて、はあい、ともう一度言い、私は家の外に出る。

おねえちゃん、こわくならないの？　とモンちゃんに訊かれたのは、去年、仕事を辞めたときだった。野生児のような子ども二人と、口を開けたまま咀嚼《そしゃく》するモンちゃんの夫との食事を終えて帰るとき、駅まで送ってく、とめずらしくモンちゃんがついてきたのだった。

こわくならないの？　というのはまた嫌みか皮肉かと思ったが、モンちゃんは真顔で、本気で私を案じているらしいことが理解できた。何が？　と訊くと、あのババアに人生をとりこまれてるように見えるのよ、とモンちゃんは言った。あのババアとは、またずいぶんな呼び名であるなと思っている私に向かって、真顔のままモンちゃんは話し続けた。「このままだと、どこへもいけないよ」と諭すように言う。「ババアとずっと二人。それがおねえちゃんの世界。それでもババアが生きてるうちはまだいいよ、ババアが死んだらどうするの？　ひとりぼっちだよ」

私が何も答えずにいると、

「私はババアがおねえちゃんを復讐《ふくしゆう》の道具に使っているような気がしてならない」

と、夜道を歩きながらモンちゃんは続けた。

「だれへの復讐？　おとうさん？」

「自分自身への復讐よ。おねえちゃんが自分より幸せになることは許せないの。ひとりぼっちのままでいさせることが、自分に対する復讐なんだよ」

「意味わかんないわ」と言って私は笑った。実際、意味がわからなかった。なぜ母が自分に復讐しなければならないのか。なぜ私をひとりぼっちでいさせなければならないのか。

「だって私はぜんぶ自分で選んだのよ」あなたと違って。とそれは心のなかでだけつけ足した。母と反対のことをすることで母に縛りつけられているあなたとは違って。

「それならそれで、いいんじゃないの」モンちゃんは諦《あきら》めたように言い、改札でいつまでも手をふっていた。ふりかえってもふりかえってもそこにいて、私に向かって手をふっていた。

二軒先の吉田さんがジャージ姿で通りすぎる。おはようございます、とタオルで額を拭《ふ》きながら笑顔を見せる。ほうきの柄を握ったまま私も笑顔で会釈する。吉田さんは四月からマラソンをはじめた。中央公園まで走って、公園内を一周するそうだ。吉田さんがうちを過ぎると、隣の家の飼い犬ベッキーがきまって吠えたてる。「おお、こわこわ」吉田さんはふりかえって私にまた笑顔を見せ、急ぎ足で自分の家の門に向かう。

原口さんとどうこうなるはずもないが、私は先日買ったエレスの下着を身につける。母がアイロンをかけたブラウスを着、春先に買ったスカートをはき、スカートだと母に何か思われそうな気がして、黒いパンツに穿《は》き替える。いってきます、と居間に顔を出すと、テレビの前でレース編みをしていた母が顔を上げ、「これ、お夕飯のお買いもの、帰りにお願いできるかしら」とメモ用紙を差し出す。受け取って家を出る。今日も天気は晴れ。風はおだやかで、下着は真新しい。マンションの上階で、しまい忘れられたらしい鯉のぼりがひらりと軽やかに泳ぐ。

結婚の直前までいったことがある。二十九歳のときだ。友人のほとんどが結婚してしまい、私は焦っていた。三十歳までにどうしても結婚しなければならないと思いこんでいた。結婚相談所に申しこみ、幾人かと会い、この人だったら結婚してもいいかもしれない、という人と会った。赤坂元雄さんという人だ。三十一歳、貿易会社勤務、実家は埼玉の酒屋さんで、元雄さんは次男だった。あれを恋愛と呼ぶのかどうかわからない、けれど元雄さんと過ごす時間はなんだかいつもふわふわとしていた。アスファルトも電車の吊革《つりかわ》も、ドアも机も、私が触れるものはみなふわふわと頼りなく思えた。映画を見たりドライブをしたり食事をしたりした。半年後、結婚しようと言われた。その日帰宅して母に伝えると、母は泣いて喜んだので、私は元雄さんに電話をかけ、承諾する旨を伝えた。

きっかけはなんだったんだろう、指輪か会食か。どちらだったのか今になってはあまり思い出せない。元雄さんがくれた婚約指輪も、あちらの両親も交えての会食も、母は遠慮がちに、しかし執拗《しつよう》にけなした。元雄さんがくれたのはデザインリングだった。それを母は「非常識だ」と言った。「婚約指輪といったら立て爪《づめ》にダイヤと決まっているのに、どうしてこんな夜店で売っているような……」と眉をひそめ、驚いたことにデパートを歩きまわって同じ指輪をさがし、値段を調べてきた。「五万円程度の指輪を贈る男がありますか。クーちゃん、あなた馬鹿にされてるんじゃないの」そう言って母は泣いたのである。泣くことはないんじゃないの、となぐさめると、娘が馬鹿にされているのに平気でいられる親がいますか、と両手で顔を覆った。

会食もさんざんではあった。元雄さんの家族は商売柄か血筋か、とにかく酒豪揃《ぞろ》いで、父親も母親も元雄さんの兄も兄嫁も驚くほどの量の酒を飲み、また私たちにも飲むよう笑顔で強要し、ついだ酒になかなか手をつけないでいると父親は「酒屋の嫁になるのに飲めなくてどうすんだ」とからみだす始末だった。母が不機嫌になったことはすぐにわかった。むっつりと黙って料理にも酒にも手をつけなかった。トイレに立とうとした父親がテーブルの脚につまずき、隅に並んでいたお銚子《ちょうし》が床に落ちて酒がこぼれた。

「宴席にきたわけじゃあないんですよ」と母が不機嫌そのものの声を出し、「何きどってやがんでい」と元雄さんの父親が言い、それから短い口論があった。食事はまだ焼きものが出てきたばかりだったが、帰りましょうと母は私の手を引いて部屋を出、おろおろと止めにきた元雄さんを無視して店を出、通りに出てタクシーに手をあげた。ねえ本当に、あんなおうちでいいの、と母はタクシーのなかで私に訊いた。不機嫌だった母がやさしい声を出したのでほっとしていた。なんていうか、あんな下品なおうちで、酒屋の嫁なんて言われて、あなた本当にいいの。

でも、元雄さんはひとり暮らしをしているし、次男だし、それにいろんなことも決まりはじめているじゃない、今さらやめるっていうわけにもいかないわよ。私は言った。まさか父親が毎日お酒を飲め飲めってつぎにくるわけないじゃない。冗談のつもりで言い、私は笑ってみせたのだが、母は笑わなかった。暗いタクシーの車内で、「ごめんなさい」しんみりと私に頭を下げた。

「あの人が家を出ていったばっかりに、片親のあなたにはあんな家との縁組みしか用意してあげられない」

母の言うことをすべて真に受けたわけではない。五万円の婚約指輪が私を馬鹿にしているとは思わなかったし、元雄さんとの結婚に片親も何も関係ない。しかし自分を疑うきっかけにはなった。なぜ元雄さんと結婚しようとしているのか。そもそもなぜ結婚したいと願ったのか。みんなが持っているシャープペンシルを私も欲しい、というような理由で、人生の一大事を決めてしまっていいものかどうか。

結局私が出した答えは、結婚中止だった。私の感じるふわふわしたものの正体は決して恋愛でも愛情でもない。焦りだけで好きでもない男性と生涯をともにするなんて、あまりにも自分に対して投げやりだ。式場はいくつか下見を終えただけの段階だし、仲人は元雄さんの上司がつとめることになっていたが、そんなのはどうとでもなる。やめるなら今だ、自分の人生を自分のものにするのは今だ。私はそう結論を出し、結婚やめるわ、とまず母に伝えた。

母は喜ぶと思っていた。下品な家に、馬鹿にされたまま娘が嫁がなくていいことに、深く安堵《あんど》すると思っていた。けれど母は猛反対した。結婚こそが女の幸せで、子どもだって早く産むにこしたことはない、世間体のこともある、両親はどうかと思う人たちではあるが何も家に嫁ぐわけじゃない、ちゃんと考えなさい、もう一度よく考えなさい。

けれど不思議なことに、母が結婚を勧めれば勧めるほど、私の決意はかたまっていった。元雄さんと結婚しようと思っていた自分が、催眠術にかかっていたのではないかと思うくらいに、気持ちがさめた。どう説得しても私の気持ちが変わらないとわかると、母は諦めた。元雄さんと向こうの家族に断りと謝罪の連絡を入れたのは母だった。

この顛末《てんまつ》を私から聞いたモンちゃんは、「おねえちゃん、人生、壊されてるよ」と言った。

「私は感謝しているけど。好きでもない人のところへ嫁がなくてすんで」そう言うと、モンちゃんは気味の悪いものを見るように私を見、何か言いかけ、けれど言わなかった。翌年、モンちゃんは芸能人だったら「電撃結婚」と言われるだろう速さで結婚したので、モンちゃんが言いかけてやめたことはなんであるのか、わかったような気がした。私はおねえちゃんみたいにはならない、と言いたかったんだろう。

それからしばらくのあいだ、母は冗談のように言っていた。あのお酒屋さんの息子、どうしているかしらね。頼りなさそうな人ではあったけど、よそに女を作るようなことはしないタイプよね。クーちゃんたらもったいないことをしたわよ、だれに似たのか、本当に頑固なんだから。

駅へと続く横断歩道で信号待ちをしながら、母の矛盾について考える。あんな家に嫁ぐのかと責めながら、もったいないことをしたと笑う。原口さんをけなしながら、原口さんとどうにかならないのかと訊く。いい人を見つけなさいよと言いながら、いい人を見つけてくればきっと母はいい人の悪い面を並べ立てるだろう。

信号が青になり、私は唐突に、去年夜道でモンちゃんが言っていたことを思い出す。母は私を復讐の道具にしている。

ああ、そうか、そういうことか。今ごろになって私はモンちゃんの言っていたことを理解する。そうして母の矛盾の謎が解けてくる。

母は私に幸せになってほしいのと同時に幸せになってほしくはないんだろう。それはつまりは、自分の過去に対する母の感情だ。幸せだったと思いたい、しかし幸せとはどうも思えない。幸せであるはずがない。モンちゃんの言葉は正確に言えばただしくはない。母は私を復讐の道具にしているのではない、母は私を自分だと思っているのだ。あの場所で、ひとりぼっちで、土を掘り返しているべき自分だと。

モンちゃんには決してわからないだろうが、私は今も母に感謝している。指輪の値段を調べあげたことを、下品な家族だと断じたことを、そうすることで私に自分の人生を見つめさせたことを感謝している。

原口さんが連れていってくれたカツ屋は有名店らしく、着いたときにはすでに行列ができていた。最後尾につき近況を言い合う。

「マンション買ったんだ、おれ」原口さんはいきなり言う。

「えっ、養育費払ってるのに？」

「ながーいローン組んでさ」

「またどうして急に」

「おれ、まじめに生涯の伴侶《はんりょ》をさがそうと思って」

真顔で言うので笑ってしまう。「いや、本気よ、おれ」と原口さんは私をのぞきこむ。

「生涯の伴侶をさがそうと思って、まず最初の行動がお見合いや合コンじゃなくて、マンション購入ってところが、なんだかいいわね」

「やっぱ家くらいついてないと」

「特典つきってわけなのね」

引き戸が開き、ワイシャツ姿の二人組が出てきて、ＯＬふうの女の子が二人、入っていく。

「きみはどうよ、仕事、さがしてもないわけ？　おかあさんの具合、もういいんだろう」

「まあ、もうそろそろしたらさがすわよ」と言いつつ、もう一年がたとうとしている。原口さんには母の具合がよくないので看病のため仕事をやめると言ってあった。もちろん嘘《うそ》だ。去年七十歳になった母はこの十年ほど、風邪《かぜ》もひいていない。本当の理由は、会社の人たちの価値観に合わせるのが苦痛だったからだ。てっとりばやくいえば、三十八歳で恋人もおらず母親とふたり暮らし、という私の背景について、あれこれ詮《せん》索《さく》されたり意見されたり心配されたりするのが心底いやだった。つとめはじめて二年目に一円玉くらいのはげができた。それをきっかけにやめた。はげのことは母には言っていない。いわば私のはじめての秘密である。

「ご隠居生活ってわけ？」

「のんきでいいわよ、気もつかわないし。原口さんも無理して再婚することないんじゃない？　新築マンションでひとり気楽に暮らしたらいいじゃないの」

「さみしいこと言わないでよ」

引き戸が開き、今度は派手な格好をした中年女性がぞろぞろと出てくる。意外に回転が速いらしい。

「さみしいかしら」

「ひょっとしたらきみにはさみしいという感情がないのかもしれんな」

原口さんはまじまじと私を見て言った。私の前に並んでいた男女二人連れが店内に入り、いよいよ次は私たちの番である。香ばしい油のにおいが漂ってくる。

「でもそんなの、なければないほうがいいんじゃないかしら。よけいな苦労をしなくてすむし」

「おかあさんがいなくなったら、きっとわかるよ、さみしいってことが」

「そうかしら」私は言い、あわてて「きっとそうね」と言いなおした。一瞬、母がいなくなっても私はさみしいとは思わないだろうと考えた。いや、考えたというよりも、知った、というほうが近かった。そのことに私は何やら粟立《あわだ》つような気分を覚えた。

「強いねえ、きみは」原口さんは言葉とは裏腹の、どことなく苛《いら》ついたような声で言った。待ち時間に苛ついているのか、私のある種の鈍さに苛ついているのか、判断できなかった。

ＯＬふうの女の子たちがくちびるを油でてからせて店から出てくる。私たちが呼ばれ、カウンターに案内される。店内には油のにおいが充満し、満席のテーブルから陽気な喧噪が沸き上がっている。ロース二人前、と原口さんが注文する。お茶が運ばれてくる。私は店内をぐるりと見まわす。壁には色あせたポスターがほとんど隙間《すきま》なく貼《は》られ、天井近くには画面の四隅が黒ずんだテレビが設置され、店内のあちこちに大小の狸《たぬき》の瀬戸物が飾られている。不合格、と心のなかで思う。きっと母はこの店を嫌うだろう。

運ばれてきた豚カツは巨大で、ステーキみたいに厚みがあった。辛子をたっぷりつけて口に入れると、さくさくと香ばしく、肉は驚くほどやわらかかった。

「おいしい」隣の原口さんに言うと、

「だろ？」得意げに答える。「家に引きこもってないで、どんどん出てきなさいよ。世のなかにはうまいものがたくさんあるんだから」説教口調になりながら、原口さんは豚カツを口に放りこみ大量のごはんをかきこむ。

「おいしいものを食べると世のなかのどんなことも肯定できるような気持ちになるわ

ね」

「ああ、まったくだ」

原口さんは、私の言ったことなんかきっとわかっていないだろうに、大げさにうなずいてみせた。

昼食をいっしょにとるときは食後に必ずコーヒーを飲むのだが、行列に並んだせいで喫茶店に入る時間がなかった。

「呼び出したのにお茶も飲めないなんて、悪かったなあ」

原口さんはそう言って、駅まで送ってくれた。原口さんと並んで歩いていると、かつてこの町に通っていた自分の姿が思い浮かぶ。二十代のはじめだった。母と買いにいったスーツを着ていた。自分を取り巻く世界が新しくなったように感じていて、混んだ電車も行列のように歩く会社員たちの姿も好ましく思えた。会社から駅までのあいだに点在する飲食店や居酒屋の、おもてに出されたメニュウを眺めるのが好きだった。モーニングセット、だの、まぐろ納豆、だの、子羊のプロヴァンス風、だの、ぬた、だのという言葉なんかを見ていると、なぜか、目の前で閉ざされたドアを自分の力で開けたように思えるのだった。しかし二年、三年、とたつにつれて、おもしろいようにすべてが色あせていった。好ましく見えていたものにかぎって嫌悪の対象になった。行列するように歩く人の群れ、窒息しそうな満員電車、品名をだらだら書いた店の立て看板や黒板。いや、違う、私が嫌悪を感じたのはそれらではない。私の先を歩く着飾った女たちだった。雑誌から抜け出たような服を着て、アクセサリーを陽射しにちかちかと光らせる同世代の女たち。彼女たちこそドアを開けて新しい世界を歩いている。彼女たちを見ると、私はいつも、ドアのこちら側で鍵穴《かぎあな》から向こうをのぞいている気になった。

それで、私は彼女たちを見下した。母の視点で見下した。なんなの、あの格好。肩をあんなに出して、娼婦《しょうふ》みたいじゃないの。じゃらじゃらと手にも首にも、水商売じゃあるまいし。東京の町に詳しいのは今じゃ田舎《いなか》ものだけだわね。男たちも情けない、色目を使われて、やにさがっちゃって。そろいもそろって考えてるのはおいしいものとつがう相手。世も末だわね。

母の視点になるとなんでもかんでも馬鹿らしく見えた。心地よかった。母が私を自分だと思いこんでいたように、きっとあのときから、私も自分を母だと思いこんでいたのだろう。私たちは遺伝子を超えてよく似ているはずだ。

「あと五分で一時になるわよ。もうここでいいから、早く帰ったほうがいいんじゃない」

隣を歩く原口さんに言う。

「少しくらい遅れたって平気だよ、おれ、こう見えても課長だぞ」

「ううん、いい、ここでいい。また連絡するわね。今日はありがとう」

「そうか。じゃあ、ここで。おまえな、くれぐれも外出るようにしろよ、家におかあさんとじっとしてないで。おれが誘わなくてもちゃんと出るようにするんだぞ」

「はいはい、わかりましたよ、じゃあ、またね」

　私は手をふって小走りに駅へ向かう。ふりかえる。原口さんの大きな背中はふりかえらずに歩いていく。小走りでそれぞれの仕事場に戻る大勢の背中に、それはゆっくりとまぎれていく。

　鰹《かつお》さく、海老《えび》、新玉葱《しんたまねぎ》、三つ葉、卵、バター（いつもの）とかかれたメモ書きを片手に、デパートの地下食料品売場をうろつく。平日の昼間なのに地下食料品売場は混んでいる。みな私と似たような女たちだ。私を若くしたような女、私を老いさせたような女、子どもの手を引いた私と同世代の女。買いものかごを腕にかけて歩く彼女たちと私を隔てるものがこのフロアにはなんにもない。みな生活があり、それぞれの生活を生きている。

　赤い電車に乗りこみ、数日前と同じようにデパートの袋を膝に置く。新しい下着は私をわくわくさせるが食料品はわくわくさせない。私は目を閉じて電車の揺れを尻に感じる。

母がいなくなっても私はきっとさみしくないだろう、と知らされたさっきのことを思い出す。今まで幾度も母がいなくなることを想像したことはある。順当にいけば母が私より先にいなくなる。母がいなくなると想像するとき、必ず浮かぶ光景がある。大枚をはたいて買った下着を身につけ、自身を鏡に映す自分の姿である。母が死の床に伏しているところでも突っ伏して泣く自分でもなく、がらんとしたあの家でもなくひとりで暮らしている自分でもなく、下着だけの露《あら》わな格好で鏡の前に立ち、乳房の位置や、身ごもったこともない平らな腹や、長く陽にさらされていない白い肌や、その肌を縁取る繊細なレース模様なんかを、点検するように見ている私。そこに、さみしいという気持ちが入りこむ余地はない。そうしてそんな想像をするとき、私は勝ち誇った気分になるのだ。母に、ではなく、なんというのか、自分の人生に。きっとこんなことも、原口さんにはわからないだろうなあ、と思う。

電車を降り、光の出口に向かって階段を上がる。空気はぬくぬくとあたたかく、空には雲のひとつもない。街路樹には隙間なく葉が生い茂っている。横断歩道を渡り、富士見橋を過ぎるとき何気なく神田川をのぞく。空気のやわらかさにつられるように、家とは反対方向に川沿いを歩く。低く流れる細い川の水は茶色く濁っている。川を見下ろしたまま歩く。数分歩くと、高砂橋《たかさごばし》に出る。高砂橋を越えてなお川沿いをいくと病院が見えてくる。子どものころ、このあたりまでくるとじんじんとしびれるようにこわくなった。川がずっと先まで続いていることはなぜだか私を恐怖させた。それでいつも、寿橋で引き返した。

目的なく歩き出した私は今日も寿橋で引き返す。その先まで進むことをせずに、また川沿いを戻る。この川がどこまで続いているのか私は未《いま》だに知らない。腕に提げたデパートのビニール袋がかさかさと鳴る。

私は立ち止まり、柵《さく》に身を押しつけて濁った川を見下ろす。さっき買った鰹のさくを川に投げ入れるところを想像する。ビニールパックを破き、ぬるりとした感触の半身の鰹を、放流するように川に落とす。土色の川に、鈍い赤の半身がちろちろと流れていく様を思い浮かべる。想像してみると、実際にやってみたくなった。濁った川を進む、頭も尾も鱗《うろこ》もない鈍い赤の魚を、見送りたくなった。ビニール袋に手をつっこむと、保冷剤に包まれたパックの鰹はぴりぴりと冷たかった。私は手をひっこめて歩き出す。鰹を放流しないまま歩き出す。高砂橋を過ぎ、川の反対側をカートに頼るようにしてゆっくりと歩く老女を何気なく目で追う。実際に鰹に触れたわけでもないのに、右手にぬらぬらと不快な感触が残っている気がして、歩きながら私は右手を黒いパンツにこすりつける。新緑が頭上でさわさわと揺れている。

クライ、ベイビイ、クライ

なんにもやる気がしないのは暑さのせいだと滋《しげる》は思いこもうとしていたけれど、去年も一昨年《おととし》も、いや、ものごころついたときから夏はきちんと暑かったことも覚えているから、暑さのせいではなくて、何かしようにもどこから手をつけていいかわからないからだ、と滋は思い返す。そう思ってしまうと納得してしまい、流し台に林立するペットボトルを洗うために台所にいったのだが、そんなこともやる気が失《う》せ、意味もなく冷蔵庫を開けひんやりした風を受けて、目についたミネラルウォーターを取り出し、直接口をつけその場でごくごくと飲んだのち、べつに水なんか飲みたくなかったな、とふてくされてリビングに戻る。

「あーあー」

眉間《みけん》にしわを寄せわざわざ声に出して言い、ソファにどさりと横になる。中途半端に開いたカーテンの向こうには青空が広がっている。このソファ、支払い終わったんだっけ、滋はぼんやりと思う。何が支払いを終えていて何が終えていないのかもはやって驚く。

把握していない。ピンポオン、と馬鹿でかいインターホンの音が響き、滋は飛び上がっている。インターホンの初期設定は音が馬鹿でかく、調整しようと思いつつそのままになっている。あーあーもう、とまたもや声に出して言いながら、インターホンの受話器を取りあげる。宅配便でーす、と威勢のいい若者の声がする。

「あ、どうも」低く言って、滋はオートロックキーを解除する。ち、と舌打ちをしつつ玄関先まで歩き、判子を手に配達人があらわれるのを待つ。エレベーターが混んでいるのか、なかなかやってこず滋はいらいらする。判子を持ったまま部屋に戻ろうとすると、またもや馬鹿でかい音で玄関のインターホンが鳴った。

「暑いですねえ、どうも」

にこやかに言いながら配達人は段ボール箱を滋の足元に置く。ベージュの帽子をかぶった彼のこめかみから顎《あご》に向けて、透明の水滴が絶え間なくしたたり落ちている。それがひどくすこやかに見え、滋は一瞬吸いこまれるように彼の顔を凝視してしまう。

「判子お願いしまあす」

あわてて滋は目をそらし、つっけんどんに判子を差し出す。配達人は受け取って伝票に判を押し、まいどどうもおーっ、と声を響かせてドアを閉める。足元に目を落とし、箱の上部に貼《は》られた伝票を見る。母の字である。滋の母親は、ゆらゆらとした生気のない枯れ枝みたいな文字を書く。カーボンコピーされてさらに頼りなくなった文字が、伝票にしがみつくように揺れている。

静まり返った玄関で、滋は段ボール箱を見下ろす。開けなくてもなかに何が入っているかわかる。新聞紙にくるまれた野菜と、缶詰と乾物と、どこでも売っているような菓子。

ねえ、なんなの、この人。妻の容子の声が耳の奥で聞こえる。やさしいおかあさんよね、と最初のうちは言っていた容子だったが、次第に、送らなくてもいいって言ったら? になり、最後には、なんなのこの人、になった。私がちゃんと食べさせてないとでも思ってんのかしら、と苛立《いらだ》たしげにつけ足した。

容子が滋の母を「この人」呼ばわりするのは、会ったことがないせいである。滋が高校生のとき家を出ていった母とは、滋も二十年以上会っていない。宅配便と、礼の言葉を書いた葉書《がき》だけのやりとりである。原田良子《はらだりようこ》と、名字の変わった母の名を宛名《あてな》書きするときだけ、些細《ささい》な違和感を感じるが、しかしそれについて何か思うことはない。

それでも容子は食べものを粗末にできないたちらしく、送られてくる野菜を調理していた。容子が実家に帰ってしまった二カ月前から、野菜は段ボール箱から出されないまま傷み、つい二週間前もそっくり捨てたばかりだった。

冷房の届かない玄関は蒸し暑く、段ボール箱を見下ろす滋の顎を伝って水滴がほとりと落ちる。揺れるような母の字の上に丸い透明の雫《しずく》が落ちる。汗を拭《ぬぐ》いもせず、段ボール箱をそのままにリビングに戻る。冷房が涼しくて気持ちがいい。ペットボトルの始末をしなきゃな、いいかげん部屋を片づけなきゃな、内村氏に連絡をとらなきゃな、容子にメールを書かなきゃな、母親に出す礼状用の葉書を買いにいかんとな。やらなければならないことを挙げつつ、滋はまたもやソファにごろりと横たわる。待ってましたとばかりに眠気が足元から這《は》い上がる。窓の向こうには静止画のような青空が広がっている。

新聞広告に「シナリオ大賞募集」の文字を見つけたのは昨年十一月だった。ふだんなら気にもとめないそんな広告を、滋はその朝じっくりと読んだ。三日ほど前に、朝のニュース番組に知り合いが出演していたのを見たせいである。大学時代の同級生に仁科《にしな》という男がいて、卒業後も就職せず、未《いま》だにフリーターだと聞いていたのだが、その仁科が、新鋭映画監督としてインタビューを受けていたのだった。仁科の監督した映画は正月に公開されるらしかった。それで焦ったというわけではないが、何か思うところがあったのも事実である。その朝、滋はその広告の隅々にまで目を通した。主催は滋が名を聞いたことのない出版社だった。協賛に映画配給会社とタレント事務所が名を連ねていた。賞金は百万円で、大賞受賞作は映画化され、シナリオは単行本として出版されることが保証されていた。優秀作、佳作が出た場合、そちらはテレビドラマ化が可能であると書いてあった。ふうん。しかしその朝滋が抱《いだ》いた感想は、それくらいだった。ふうん。仁科にできるのだからおれにも何かできるかもな、とは思ったが、朝食を終え席を立つころには忘れていた。

滋がその広告を思い出して古新聞をあさるのは、三日後のことだ。仁科にできるのだからおれにだってなんかできるに違いない、と、先だってよりも現実味を帯びて滋はつぶやいていた。

浦和から、厚木への転勤を命じられたのだった。滋が勤めていたのは食品会社だった。就職して配属になったのは営業部で、スーパーやデパートを中心に自社製品を売りこんであるいていた。二十九歳のとき、入社時からの希望だった企画開発部に異動になったのだが、すぐに新商品開発チームに加わるものとばかり思っていたら、任されるのはアンケートの集計とクレーム処理ばかりだった。やめちまおうか、こんな会社、と思ったころに容子と知り合い、交際して半年もしないうちに結婚を意識するようになり、とりあえず退社は延期した。容子は学校教材を扱う会社で働いており、結婚しても仕事を続けるつもりだと言っていたから、転職は入籍後にすればいいと滋は考えた。しかし一年後、入籍が済むと容子は滋に一言も相談せず仕事を辞めてしまった。「辞めないのじゃなかったの」と訊《き》くと、容子は泣き叫んで抗議した。妻を養う気持ちもないのか、とか、なぜ働かされなくちゃいけないのだ、とか、三十歳以上の独身女が三人しかいなかったのだとか、滋にはなんのことだかさっぱりわからないことばかり言い募るので、その件については対話を諦《あきら》めた。

宣伝部に異動になったのは三年前、三十四歳のときだった。クレーム処理とアンケート集計からやっと解放されると思ったのもつかの間、会社がカラオケ事業に手を出すことになり、宣伝部の数人がそちらに駆り出されることになった。市場調査と研修を名目に、滋は浦和にあるカラオケボックスの店長まがいの仕事をさせられ、休日は月に三度とれればいいほうで、連日終電で帰宅するような日々になった。帰らない滋に何か思うところがあるのか、ずっと家にいる容子は不機嫌で、たまの休みも部屋には険悪なムードが流れ、滋はいっさいの現状打破のためにマンション購入を思いついた。カラオケ事業はまだ続くと思われたから、浦和にほど近い大宮に物件を見つけ契約をした。それが二年前。昨年春にマンションは完成し、容子は今までのことをすっかり忘れたかのように上機嫌だった。休日は少なく、残業も変わらずあったが、家が近くなったぶんはやく帰宅できた。もっとも、容子は新しい家を調えるのに夢中で、滋の帰宅がはやかろうが遅かろうがあまり気にしていない様子ではあった。それでも、くたくたに疲れて帰ってきて、容子の機嫌がいいとやはりほっとした。

　それが、シナリオ広告を見た二日後、浦和から厚木のカラオケボックスにいくよう命じられた。またカラオケボックスか、という落胆と、通勤に二時間近くかかりやがる、という失望は、おれ、いったい何やってんだろう、という疑問に変わった。だいたい会社の言うとおりあっちへいきこっちへいきして、理不尽に思える業務もこなして、それでも月々の給与は変わらない。マンションのローンは三十五年先まで組んであるが、繰り上げ返済するには節約以外にやりようがない。急にいろんなことがばかばかしく思えた滋の頭に、シナリオ大賞の文字が浮かんだ。それから一カ月間、帰宅するや滋は、はやくも物置と化している陽の射さない五畳ほどの部屋に閉じこもり、パソコンでシナリオを書いた。

　カラオケボックスを舞台に、そこに出入りする人々の悲喜こもごもをコメディタッチで描いていった。自分でもこわくなるくらいすらすらと書けた。あまりにもおもしろいので、ときおり、くくくく、と笑い声を漏らしながら書いた。小学生のころ、連載漫画を描いていたことを滋は思い出した。はやく続きを描けと友人たちにせかされたことも。文学部に在籍していた学生時代、宿題で提出した芥川龍之介《あくたがわりゅうのすけ》論が教授に褒められ、おまえ小説を書いたらどうか、と言われたことも思い出した。容子はノックもなくドアを開け、何やってんの、と不気味そうに訊いた。仕事仕事、と滋は答えた。入賞が決まってから自分が何をしていたのかを容子に打ち明けて、驚かせるつもりだった。うまくいったら仕事も辞めて、一日じゅうだって家にいることができる、ローンだって三十五年も待たずすぐに返済してしまえる、そう言って喜ばせるつもりだった。泣くかな、あいつ、と滋はキーボードを打ちながらにやついていた。

応募締め切りは二月の末だった。正月休みもすべて費やし、往復四時間弱の通勤の合間もシナリオのことばかり考え、睡眠時間を削りに削って推敲《すいこう》し、二月末日の消印で原稿を送った。

出版社の人間から携帯に電話がきたのは、三月の後半だった。そのとき、滋は中間報告会のため八丁堀にある本社ビルに戻っていた。携帯で会話しながらフロアを抜け出して屋上へいき、電話を切って、うぎゃあ、とも、おひょお、ともつかぬ雄叫《おたけ》びをあげた。出版社の人間がなんと言ったのか、興奮しすぎたせいでよくは覚えていなかったが、しかし「いける」、そう言われたことだけは覚えていた。「これはいける、大賞を充分ねらえる作品である、打ち合わせをしたい」と、そう言われたことだけ覚えていた。

翌日、滋は辞表を提出した。突発的な行動ではないと自分に言い聞かせていた。昨年末から大賞ではなくとも佳作でも優秀作でも、あるいは第二次通過でも、少しでもひっかかったら会社は辞めようと、シナリオを書きながらずっと考えていたのだった。二次選考通過で終わったとしても、何かしら才能はあるわけだから、アルバイトをしながら書きものに専念すればすぐに結果は出るだろう。そんなところへ大賞確実の電話をもらい、しかもタイミングよく年度末である。これは運命的なものであるに違いないと滋は思った。

四月に入ってから打ち合わせをした。自分よりはるかに若く見える編集者、内村は、シナリオというジャンルの価値について熱っぽく語った。第三次選考の結果は公表されていないが滋の作品が残っていること、おそらく大賞をとるだろうことを伝え、しかしそのためには最終候補として選考委員に渡す前に、若干の手なおしが必要だとつけ加えた。会社を辞めてしまったので、いくらでも時間がある、なおすことなんてなんでもないと滋は言い、内村の言葉をひとつひとつメモした。大賞の発表まで容子に隠していようと決めていたから、会社を辞めたことも言わないでいた。毎朝ノートパソコンと印刷した原稿を持って、いつもと変わらない時間に家を出、池袋や高田馬場《たかだのばば》の喫茶店で、編集者の意見を元に手なおしした。

就職してから一度も感じたことのない高揚を味わっていた。沖で溺《おぼ》れているところに浮き輪が投げこまれたような気分だった。救われた、と心底思った。

そして五月、シナリオ大賞の発表があった。滋の作品は大賞どころか、佳作にもならなかった。内村は携帯に電話をしてきて、経緯を説明した。選考の場で滋の作品は高く評価された、しかしここまですぐれたものが書けるのならば、もっと力を出せるのではないかという意見が出て、惜しくも受賞を逃すことになってしまった。年若い内村の声を聞きながら、血の気が引いていくのを滋は感じた。携帯電話を握る手は冷たくしびれたようになった。おまえがいけると言うから会社を辞めちまったじゃねえか、と怒鳴りそうになったとき、「でも、まだ道はあるんです」と彼は言った。小説として自費出版をして、映画会社や広告代理店に売りこむか、あるいは一年待って次回また応募するか。方法はいくらでもあるのだから、まずもう一度会って打ち合わせをしましょう。彼はそう言った。

打ち合わせの席に、内村は広告代理店の人間を連れてきた。滋と同世代に見える彼は、滋もよく知っている大手会社の名刺を出した。内村と広告代理店は掛け合い漫才のように交互に話した。今、映画業界がいかに原作を求めているか。今やほとんどの邦画脚本は小説か漫画に頼るしかなくなっている。滋の書いたものはシナリオとして出版してもいいが、それよりは小説の体裁で出し、それを企画書とともに売りこんだほうが無難である。来年チャレンジするのもいいが、年内に小説として出版すれば来年の応募締め切りよりもはやく映画化の話は舞いこんでくるだろう。話が一段落すると、内村は紙袋から四、五冊の本を出した。みな自分のところで自費出版した本だと説明する。滋はそれらを手にとってながめた。ある本には「映画化決定！」という帯が巻かれ、あるものには「ウェブドラマ配信開始！」とあった。

自費出版には二百三十万円必要らしかった。それでも出版社が何割かは負担しているのだという。映画化が決まれば二百三十万など原作料としてただちにチャラになり、本が売れればさらに黒字になる目算があると、内村は具体的な数字をあげて説明した。滋はその話を信じた。いや、信じたというよりもすがった。そのほかにもう、方法がないような気がした。生きていく方法が、である。

その夜、滋は容子にようやく会社を辞めたことをうち明けた。シナリオ大賞の話も、小説の自費出版の話もした。二百三十万円は手付け金のようなもので、一年以内にちゃんとそれを上まわる収入があることも説明した。内村にもらった、「映画化決定！」の帯が巻かれた本も見せた。しかし容子は、その話をまったく信じなかった。「馬鹿じゃないの」と冷たく言い放ち、滋がすがった話の内容を「悪徳商法」だと断言し、どこがどのように悪徳であるのか言い募った。曰《いわ》く、そのシナリオ大賞とやらから映画化されてヒットした作品なんか聞いたことない、「映画化決定」だの「ウェブドラマ」だの書いてあるがこれらの本が書店に並んでいるのなんか見たことない、小説も漫画もごまんとある世のなかで、どうしてあんたにわざわざ書かせる必要がある、名もない新人の自費出版本をどこの映画会社が買い取ってくれるのか。きゃんきゃんと怒鳴られ滋は気分が悪くなった。仕事もせず家にいるだけの女に、映画も見ず本屋にもめったにいかない非文化的な女に、出版や映画業界の何がわかるんだよ、と言いたかったのだがうまく言葉にならず、おまえだっておれに何も言わず仕事を辞めただろうと反撃に出た。言い合いは罵《のの》り合いになり、翌朝、容子は部屋にいなかった。二週間後、郵送で離婚届が送られてきた。携帯に電話をかけると着信拒否になっており、実家に電話をすると容子の両親は取り次いでくれなかった。戻ってほしいと手紙を書いてみたが、なんだか馬鹿馬鹿しくなって、書きかけの手紙はまるめて捨てた。実際小説が出版され映画化が決まれば、考えを変えるだろうと思いなおし、滋は先に書いたシナリオをせっせと小説になおしていった。

六月、梅雨《つゆ》の真っ最中のことだった。

七月、滋は自費出版の契約書にサインをし半額の百十五万円をふりこんだ。八月半ば現在、内村から出版が決まったという連絡はない。こちらから電話をかけると、ほかにも読まなければならないものが多く、まだ読んでいないという返事だった。読み次第連絡をするという返事だった。

ノートパソコンと封筒の束を持ち、滋は家を出る。容子がいないのだから部屋で書きものをしてもいいのだが、だれも掃除をしない部屋は、散らかっているというよりは荒れていて落ち着かない。コンビニエンスストアの弁当ばかり食べているせいか、ジーンズのウエストとものあたりがきつくなった。エントランスの窓ガラスを拭《ふ》いている管理人がふりむいて滋をまじまじと見る。小柄な初老の女性は、住人の顔を覚えていないらしく、滋が平日昼間に出入りしていると、怪しむような表情を隠そうともせず凝視してくる。どうも、こんにちはあ、と滋は笑顔を作って挨拶《あいさつ》する。管理人も作り笑いでちいさく会釈する。

おもては強い陽射しに染め抜かれて、銀色に発光しているようだった。バス停に向かう道の途中、郵便ポストに封筒の束を入れる。八通には、契約社員募集にあてた履歴書が入っており、一通には容子への手紙が入っている。駅前に向かうバスに乗り、いちばん後ろの席に着く。窓の外に流れる景色は、勤めていたころに見ていたものと違うように感じられる。平日の昼間に見る町は遠い異国のようだ。

駅前でバスを降り、滋は銀行に入ってＡＴＭで預金通帳に記帳する。ズズズ、ズズズと通帳に印字する音が聞こえる。ちょうど滋の目の高さにポスターが貼ってある。「だまされないで！」と大きく書かれ、老男女が叫ぶような泣くような、漫画じみた絵が描いてある。「車をぶつけて相手方に怪我《けが》を負わせてしまった」「おたくの息子が痴漢の現行犯でつかまった」そんなときは……「落ち着いて、相手の名前を確認しましょう」「こちらからかけなおすと言って連絡先を聞き出しましょう」ズズズ、がやむ。滋はポスターの文字から目をそらし、べろのように吐き出された通帳を、待てずにその場で確認する。残高七十二万八千九十二円。

今月の住宅ローン九万二千円、家具類のローン二万五千円、それから公共料金の……宙を見据え暗算をはじめると、背後から「ちょっとォ、なにこいつ」と声がする。ふりむくと若い二人組の女が立っている。思いきり滋をにらみつけてくる。あわてて滋はその場をどいた。

「邪魔だっつーの」若い女はわざわざ聞こえるように言い、顔を見合わせてくすくすと笑う。ほとんど水着のような露出度の高い服を着ている。ATMのわきに立ち、滋はその潑剌《はつらつ》とした脚やまるみを帯びた肩に見とれる。「見てんじゃねーよ」低い声ですごまれて、自分が見とれていたことにようやく気づき、あたふたと銀行をあとにする。

駅は子どもたちで混んでいる。汗で頭髪を濡《ぬ》らし、そろいの手帳を手に列を作っている。母親か父親、もしくは祖父母らしき人が、子どものわきにくっついている。不機嫌そうな顔で子どもを叱《しか》ったり、ハンカチで自分の顔を扇《あお》いだりしている。列の先にはスタンプ台がある。漫画キャラクターのスタンプを押すために子どもたちは並んでいるのだ。ワンピース姿の若い母親がしゃがみ、びっしょり濡れた子どもの頭をタオルでぐるりと拭いている。露《あら》わになった白い二の腕が、動くたびにふるふると震える。あ、と滋は声を漏らしそうになる。その二の腕の感触が、生々しくせり上がってきたからである。

滋はノートパソコンの入った袋を抱えるようにして、駅構内を足早に過ぎる。構内を抜けると駅の反対口に出る。子どもたちの歓声が遠ざかる。横断歩道を渡り、商店街のアーチをくぐり、数十メートル先にあるファミリーレストランへと急ぐ。涼しい店内に入ると、汗で濡れたシャツが冷たく感じられた。

　おもてに面した明るい席が禁煙席で、窓のない、奥まった席が喫煙席である。滋は煙草《タバコ》は吸わないが、いつも喫煙席に案内してもらう。暗く空気のよどんだ空間のほうが、何かを書くという行為に合っている気がするのだ。ドリンクバーを注文し、アイスコーヒーを自分で作り、席に戻る。隣の席ではワイシャツ姿の二人組が、ひっきりなしに煙草を吸いながらテーブルに広げた書類に目を落としている。斜め向かいは派手な格好をしたおばさんグループ。背後の席ではポロシャツ姿のさほど若く見えない男が無言でランチセットを食べている。

　パソコンをテーブルに置き電源を入れる。滋は今、一度書き上げた小説を書きなおしている。だれに請われたわけでもないのだが、何もしていないことを自分で認めるのがいやで、やむなくそうしていた。内村から連絡があり、あまりよくない評価をされた場合、書きなおしたほうをすぐに渡せるようにもしておきたかった。

　パソコン画面にあらわれた縦書きの文字を滋は眺める。続きを打とうとして、ふと、さっき見た若い母親の二の腕を思い出す。驚くほどやわらかい、ひんやりしたその部分に、たった今触れたかのような、恍惚《こうこつ》の余韻が残っている。そういえば、ずいぶん女性の体に触っていない。先ほどの若い母親をぼんやりと思い浮かべ、思い浮かべた女性の顔が、容子ならまだしも自分の母親であることに気づいてぎょっとする。母親なんか思い浮かべて気持ち悪い、という意識とは裏腹に、幼い自分の手を引いていた母の姿がむせ返るほど色濃く、次々浮かび上がる。浮かび上がるのは冬の母でも春の母でもなく、夏の母ばかりだった。ウエストのしまったワンピースを着て、二の腕を高く持ち上げて日傘をさしている母。足元にできた、日傘の淡い影から外に出たら死んでしまうとひとり勝手にルールを作り、そこからはみ出ることのないようちょこまかと歩いていた幼い自分。自分を抱き上げるためしゃがみこんだ母親の二の腕が、吸いつくような感触で手の甲に触れた。

滋の母親は、滋が高校にあがった年に家を出た。数日して滋と妹の悦子宛に手紙がきた。父親とはもう暮らすことができないとあり、謝罪の言葉があった。悦子はそのときまだ中学生で、ずいぶんとショックを受け母親を憎んだようだが、滋はもっとぽかんとした気持ちだった。そのころ女子生徒と交際をはじめた同級生が「女ってわっかんねー」と言っていたが、滋の気分としてはそれにとても近かった。女ってわっかんねー。母もまた女であるとはじめて気づいた。

家を出てから音信不通だった母だが、滋は結婚するときにその旨母に手紙で伝えた。

住所は父親が知っていた。容子と住みはじめたマンションに母からの宅配便第一号が送られてきたのはその直後である。母が再婚したらしいことを、伝票に書かれた名前で知った。中身は今と同じ、野菜と菓子と自分で漬けたらしい梅干し、乾麺《かんめん》や海苔《のり》も入っていた。箱を開けると封筒に入っていない一筆書きの便せんがあり、枯れ枝みたいな文字で「結婚お目出度《めでと》う」と書いてあった。目と出と度が漢字であるところが、滋には気恥ずかしく、そして何やらかなしかった。

以来、母は宅配便を送り続けている。伝票に記載されている電話番号を見て、礼の電話くらいしようかと幾度も思ったが、結局いつもそうはせず、数カ月に一度、礼の言葉に近況を添えて送るのみだ。最初は「やさしいおかあさんよね」だの「母親ってほんと、自分の子どもの好物を覚えてるものだよね」と好意的な感想を述べていた容子は、しかしそれが二年、三年続くと、次第にうんざりした口調になった。最後は「なんなの、この人」になるわけだが、滋は容子がなぜそこまで自分の母を疎《うと》ましく思うのかわかりかねた。嫁姑《よめしゅうとめ》の関係があるわけではなし、子どもはまだかとせかすわけではなし、月に一度、ただ宅配便を送ってくるだけなのに。それくらい、いいじゃないか。宅配便を送るくらい、許してやればいいじゃないか。

けれど滋は、容子にそうは言わなかった。きっと言ったって、わかってもらえないだろうと思っていた。母が毎月、どこででも手に入るものを送ってくるのは、息子に対して申し訳ないと——途中で母の役割を放り出して申し訳ないと思っているからだろうし、自分が近況を添えた礼の言葉を書いた葉書を送るのは、申し訳ないと思うことなんかないのだと伝え続けたいからだ。そういう母と息子のつながり方を、容子はきっと理解できないと滋は決めつけていた。

アイスコーヒーを二杯、トロピカルアイスティーを一杯飲み、充満する煙草の煙で目がしばしばと痛みはじめてようやく滋はノートパソコンを閉じた。一行も書けなかった。ドリンクバーの代金を支払っておもてに出る。

スタンプの時間が終了したのか、子どもの列はなくなっているが、迷子らしき子どもがひとり、駅の構内に立ち尽くして泣いている。おかあさーん、と声をふりしぼっては、おおん、おおんと泣く。通りかかった老婦人が子どもの肩に手を置き、何か訊くが、子どもはその手をふりはらって泣き続ける。おかあさーん。駅員が子どもに近づくのを横目で見ながら滋は構内を通り抜ける。おかあさーん。べたついた声が追いかけるように聞こえる。その声から逃げるようにして駅ビルに入り、夕食用の弁当を買った。

いつのまにか電話ボックスはめっきり減っていて、さがさなくてはならなかった。駅の構内には公衆電話があったはずだが、ボックスではない。閉ざされた空間が必要だった。

滋は駅周辺を歩きまわって、西口のビジネスホテルわきにようやく、ぽつんと立つ電話ボックスを見つけた。ドアを開くと、むんと熱された空気が詰まっている。夏の残り滓《かす》が封じこめてあるようだった。なかに入りドアを閉め、ジーンズの尻ポケットから宅配便の伝票を取り出す。受話器を持ち上げ、少し迷う。熱気がべたべたと滋を包む。財布から買ったばかりのテレホンカードを取り出して、プリントされた子猫の写真に目を落とす。

十六歳のとき以来、二十年以上も会っていない母親に、葉書ではなく電話で礼を言おうと思ったのだった。どう、いろいろうまくいってんの？　おれ？　おれはさ、今シナリオの勉強してんの。いや、なんつうか、勤めてたんだけど、これでいいのかなって思って。四十になる前に、やりたいことやっておいたほうがいいかなと思って。ま、うまくいかなかったらまた勤め先さがせばいいだけの話だし。ああ、容子？　元気だよ。おれ、健康診断で中性脂肪高めだったからさ、野菜料理中心の食事にしてくれてて、送ってもらった野菜、すごく助かってるって言ってた。

電話ボックスをさがしながら考えた言葉を胸の内でしばらく転がす。だれかが順番待ちをしているのではないかとおもてに視線を送るが、行き交う人々はそこに電話ボックスがあることに気づかない様子で歩いている。

二十年以上会っていない、言葉を交わしてもいない母親は、突然電話をもらっても迷惑がらないだろうと滋は信じていた。毎月宅配便を送ってくるくらい気にかけているのだ。戸惑いはするだろうけれど、自分の話を聞いてくれるだろうと思った。自宅からかけるのはためらわれた。容子のいない、すっかり荒れた部屋の、不穏に静まり返った空気を母に聞き取らせたくなかった。携帯電話では落ち着かないように思えた。雑音や電波の加減で、え？　え？　と訊き合いながら会話するのはいやだった。それで電話ボックスをさがしにわざわざバスに乗ったのだった。

行き詰まっていた。どこからどんなふうにして動き出せばいいのか、うまく考えられなくなっていた。八月が終わっても内村から連絡はなく、九月に入ってから二度電話してみた。会社にかけると見知らぬ人間が出て、あわただしげに「外出中だから、電話のあったことを伝えておく」と言った。携帯電話にも二度かけた。二度とも「電波の届かないところにいるか、電源が切れている」とアナウンスが告げた。九月も三週目に入った昨日、携帯にかけた電話がようやくつながった。

「すみません、まだ、読んでないんですよ」と内村は悪びれずに言った。

「読んでないってあんた」あんたが小説にしろと言うからしたんじゃないかよ、と続けようとするのを内村は遮った。

「うち、童話とミステリーのコンテストもやってるんですよ。ちょうど時期が重なっちゃって、そっちの応募原稿を読まなきゃいけなくて、それが百や二百じゃないんですよ。でもそれ、今月中に片がつきますから。そっちが落ち着き次第、すぐ目を通して連絡しますから」早口で内村は言い、「ちょっと、本当に……」と言いかけた滋の言葉も聞かず、電話を切った。

電話が切られてしまうと心臓がばくばくと早打ちした。悪徳商法、という容子の声を思い出した。そんなはずはない、悪徳商法ならば半額受け取った時点でドロンしているはずではないか。ちゃんと出版物だってあるではないか。滋は自らに言い聞かせ呼吸を整えた。まず仕事だ、まず仕事を見つけよう。条件のいい仕事に応募しても面接までもたどり着けないのが現状なのだから、とりあえず日銭でいい、日銭を稼ぐ仕事を当座はじめよう。それから容子。手紙になんの返事も送ってこないが、とりあえず容子を説得して帰ってきてもらわなければいけない。自分の仕事が落ち着くまで、容子も働く気はないのかと訊いてみよう。そこから二人でやりなおすことはできないのかと訊いてみよう。シナリオだの小説だのはこの際後まわしにしよう、ともかく生活を整えよう。呼吸を整えながら、滋は現実的な算段をあれこれとし、さらに気分を落ち着かせるため缶ビールを取りに台所にいった。冷蔵庫を開けようとして、玄関に段ボール箱が置きっぱなしになっていることに気がついた。先月送られてきた母親からの宅配便だった。滋はそろそろと近寄り、ガムテープを剝《は》がし蓋《ふた》を開けた。生ゴミのにおいが鼻をつき、無数のショウジョウバエが飛び出てきた。なかの野菜はみな腐っていた。茶色い水の入った袋があり、何かと思って持ち上げると「もやし」と印刷されていた。

たった今組み立てた算段が、へなへなと崩れていくような無力感に襲われた。滋は異臭とショウジョウバエに眉間を寄せたまま、放心したようにその場にしゃがみこんでいた。母の空想のなかに生きる自分自身が思い浮かんだ。宅配便が届くたびに、自分が二十年たった今の母を想像してみるように、母もきっと宅配便を送ったあとは、中年にさしかかった息子の姿を想像しているだろう。思い浮かんだのは、自分自身ではなく、その母の内にある息子の姿だった。少しばかりくたびれたスーツを着て帰ってきて、テーブルにつき、妻とにこやかに会話しながら妻の料理を食べる、凡庸な男の姿が浮かんだ。自分の想像のなかで、六十を過ぎたばかりの母がまだ潑剌として、ともに暮らす新しい夫と笑い合っているように、母の想像する自分もまた、屈託なく笑っているのだろう。母と唐突に話したくなった。母の声を聞き母に自分の声を聞かせたら、身動きがとれるんじゃないかと思った。まず仕事を見つける、それから容子を迎えにいく、そんなふうに順序立てて行動に移せるのではないかと思った。母の想像で笑うまっとうな自分に近づけるのではないかと思った。

それが昨日のことだった。そして今日、昼過ぎに起きた滋はシャワーを浴び髭《ひげ》を剃《そ》り、こざっぱりしたシャツとジーンズに着替え部屋を出た。バスに乗り、コンビニエンスストアでテレホンカードを買い、電話ボックスをさがしてうろついた。

何を迷っている、と滋は自分に言う。母はきっと自分の話を聞いてくれるだろうと信じているのに、いったい何を迷っている。不在なら明日またかけにくればいい。明日も留守ならまた明日。だいじょうぶ、母はおれの話を聞いてくれるはずなのだから。幾度か自分に言い聞かせ、迷いをふりきるようにテレホンカードを差し入れる。力が余ってカードは薄い弧を描き、それから吸いこまれていった。伝票の、枯れ枝みたいな文字に顔を近づけ、数字ボタンを押していく。

ゼロ、四、七、ではじまる数字を確認しながら押していくうち、滋の内にちいさな疑問が浮かんだ。もし自分の名を名乗らずとも、母はおれだとすぐにわかるだろうか。もしもし、という声を聞いただけで、ああ滋、と声をほころばせるだろうか。滋、ではない、しいちゃんだ。母からはしいちゃんと呼ばれていた。ああ、しいちゃんなの、と言うだろうか。そんなことを考えると心臓の動きがはやくなった。ボタンを押す指がかすかに震えた。湿った手で受話器を握り、滋は呼び出し音を聞いた。

四回まで数えたところで、「はい」と女の声がした。母だ、と滋はすぐにわかった。もしもし、と言おうとしたが、舌が乾きうまく声が出ない。

「もしもし?」電話の向こうから母の怪訝《けげん》な声が聞こえる。

「あ、ああ、あの、おれだけど」ようやく声が出た。裏返ったような声になった。

しばらくの沈黙の後、「はあ?」と、さらに母は怪訝そうな声を出す。

「おれだよ、おれ」滋は言う。母がすぐに気づかなかったせいで、しいちゃんでも滋さんでも滋でも、ともかく母がこちらを認識するまで名乗るまいと、意地になっている自分に気づく。

どちらさま、と母が迷惑そうな声を出し、おれ、おれ、と再度言ってから、これじゃあまるで詐欺だ、と情けない気分で思い、思ったその直後、まったく予期しなかった言葉が自分の口をついて出るのを滋は聞いた。

「おれだよ、おれなんだけど、ちょっと困ったことになって……いや、あの、おれはやってないんだけど、今、そう今、電車で痴漢をされたって女が騒ぎ出して……」他人がしゃべるような自分の声を聞きながら、滋は一カ月ほど前、銀行で自分をにらみつけた若い女を思い出していた。露出したすべやかな肌を思い出していた。銀行のポスターに書かれた「だまされないで!」という文字を思い出していた。それから、母の二の腕を思い出していた。小学校の教室で、母が強く握りしめていたハンカチを思い出していた。生徒の座る木の椅子《いす》に広がっていた母のスカートの布地を思い出していた。

「違うって言ったんだけど、目撃したってやつまで出てきて……自分じゃないっていくら説明しても取り合ってもらえなくて……示談にするなら訴えることはしないって言うんだけど……えっとその、五十万今すぐ払うならなんにもなかったことにするって……こっちはそんな気ないけど混んだ電車で手があたったのかもしれないし、面倒だからさっさと払って終わりにしたいんだけど手持ちがなくて……悪いんだけど今から言う口座に振り込んでくれないかな、すぐ、本当にすぐ、返すから……」

小学校二年生だったか、三年生だったか、担任教師に母と呼び出されたことがあった。同級生の女の子のパンツを脱がせ、池に捨てたのがばれたのだった。実際はそれは滋の発案ではなく、ボス的存在だった男子がそうするよう命令し、滋は従っただけだったのだが、やったのかやらないのかと問われれば、やったとしか言いようがなく、滋は耳の奥まで熱くなるのを感じながら、事情を聞かされている母の隣に座っていた。顔を上げることができず、母の手元を横目でちらちらと見ていた。膝《ひざ》に置いた手に母はハンカチを握りしめていた。教師の話を聞くに従って、ハンカチはねじりあげられ、母の指は白く染まった。滋は自分がハンカチになったような気がした。ひととおりの説明が終わり、家庭でのしつけ問題について教師が話しはじめたとき、母は「うちの子がそんなことをするはずがない」と震える声で教師に告げた。うちの子はそんなことまで頭のまわる子どもではない、だれかに命令されたに決まっている、うちの子は馬鹿だけども意味のないことで人を泣かせるようなことはしない、いいかげんなことを言うなと、最後のほうはほとんど激昂《げっこう》して、母は教師にくってかかった。

　その後のことを滋はよく覚えていなかった。教師がどうしたのか、どのように母と自分が解放されたのか、女の子に謝罪しにいったのか。母が教師に詰め寄るところを覚えているのは、ふだんの母からは想像ができないからだった。母は教師を絶対の存在だと思っていた。滋が学校を脱走して呼び出しを食らったときは、机に額をつけるようにしてぺこぺこ謝っていた。そんな母が、教師に楯突《たてつ》いたのだった。その後のことを思い出そうとすると、日向《ひなた》の道を歩く自分と母の姿が浮かぶ。母のさした日傘と、その影から出ないようにちょこまかとふざけて歩く幼い自分と。母は道ばたでふいにしゃがみこみ、腕をまわして滋を抱きしめた。恥ずかしさと心地よさで気が遠くなった。母の腕から逃れようとした滋の手に、母の二の腕が触れた。とろけそうにやわらかく、しっとりと冷たかった。

　自分の声を聞きながら、滋の記憶はなぜかそこに行き着いた。

　受話器の向こうで母は何も言わない。信じているのか、疑っているのか、滋にはわかりようがない。訝《いぶか》しむようなことを言われたら即座に電話を切ろうとくりかえし思う。なんでもいいから訝しむようなことを言ってくれと、哀願するように思っている。

「それであの……」

「待って」母はようやく口を開いた。「今、書くもの持ってくるから」表情のまったく読みとれない声がそう告げ、がさがさと電話口で紙の音がする。

「はい、いいよ」ややあって母の声がし、何が「いいよ」なのかわかりかねていると、

「ほら、口座番号」母は催促するように言う。

「ああ、ええと、あの、みずほ銀行の……」滋は片手でポケットをまさぐり、財布からキャッシュカードを抜き出して、番号を読み上げる。「ほんと、すぐ返すから」

「いくらだっけ。五十万でいいんだね」

あまりに平淡な声で言われ、滋は呆気《あっけ》にとられ、これは本当に自分の母なのだろうかと思いはじめる。まったく違う、見知らぬ人の母親と話しているんじゃなかろうか。

「それであんた……」

母が何か言いかけ、

「いや、またすぐ連絡する、これでとりあえずなんとかはなるから。悪い、ほんと悪かった。返すから、ほんとすぐ返すから」

滋はあわてて言って受話器をフックに戻した。勢いがつきすぎて、フックにかかったままぶらぶら揺れる受話器を見つめ、大きく肩で息をする。受話器の取っ手は濡れて光っている。湿った自分の手をジーンズにこすりつける。のどがからからに渇いている。

全体重をかけるようにして電話ボックスのドアを開け、おもてに出る。額もこめか

みもわきの下も汗で濡れている。そのまま滋は方向の確認もせずただ歩き、目についた自動販売機でコーラを買って半分ほど一気に飲んだ。ぐべ、とげっぷが出て、大きく息を吐いた。息の最後のほうに笑いが重なった。滋は息を吸い、もう一度笑いなおした。脚が震え、手が震え、動悸《どうき》が激しくなっていることがおかしかった。ペットボトルに口をつけ、もう飲みたくないことに気がついて、口に含んだものをそのまま歩道に吐き出す。さわさわとかすかな音をたてて炭酸が泡立つ。ひゃははははは、もう一度滋は笑った。ペットボトルをゴミ箱に捨て、駅に向かって歩きだす。

母は信じたのだろうか。一時間後に銀行にいったら、本当に五十万円振り込まれているんだろうか。それとも母は話を合わせていただけで、うちの息子がそんなことをするはずがない、馬鹿だけど人を泣かせるようなことはしないと、頑とはねつけてテレビの続きでも見ているだろうか。そんなことを考えながら滋は駅へと急ぐ。なんて馬鹿なことをしでかしたんだ、と思う一方で、何ごとかを成し遂げたような興奮もあった。おれって正真正銘の馬鹿かも、と思いつつ、いろんなことがいい方向に転がりはじめたような解放感があった。駅に続く階段を一段抜かしで駆け上がる滋の口元は引き締めてもすぐにゆるんだ。いちばん上まで上がりきって息を吐き、そうだ、公衆電話からなら発信番号が出ないからきっと容子は出てくれる、と思いつき、駅構内にある公衆電話に向かって歩きだす。幾度もかけたせいで暗記してしまった十一桁《けた》の数字を胸のなかで転がしながら、人混みを縫う。自分を包むすがすがしい気分は、興奮でも解放感でもないことに、歩きながらゆっくりと滋は気づく。母がお金を振り込んでも振り込まなくても、自分が傷つくことはない。どちらにしても母は息子を信じたということになる。母を相手にした賭《か》けには、どのように転んでも負けがない。軽やかな気分は、その安堵《あんど》のせいだと滋は気づく。

おかあさーん、といつか駅で聞いた子どもの声が、耳の奥にこびりつくように追ってくる。それから逃れるように、滋の歩く速度は知らず速まっていた。

初恋ツアー

旅行は三人でいくことになった。私と洋文《ひろふみ》と、洋文の母の幸子《さちこ》の三人。三人で旅行するのははじめてのことである。

私も洋文も夏休み返上で働いていたので、十一月の三連休に旅行にいこうとは、前々から決めてあった。その旅行に義母も誘おうと提案したのは私である。義父が亡くなったのは昨年の夏だった。認知症の症状が出はじめていた義父を二年間つきっきりで介護していた義母は、夫の死後、いっさいの気力を失ったように家から出なくなってしまった。好きだった相撲《すもう》を見にいくこともなく、女友だちに旅行に誘われても断り、以前はしょっちゅう私たちの家にもやってきたのに、遊びにくることもない。様子を見にいくと、家のなかはどことなくすさんで、食事はいつも店屋物のようだった。そんなわけで、祝日をからめて、二泊三日の旅行を計画した。

断られるかと思いながら電話をすると、義母は思いのほか明るい声で、いくわ、と言い、さらに、いき先が決まっていないのならば私に決めさせてほしいと言った。近場の日光あたりでのんびりと、と洋文と思っていたのだが、せっかく義母がやる気になっているのだし、義母の意見を尊重することにした。

札幌にいきたい、と義母は言った。意外だった。もちろん反対する理由はない。十一月半ば過ぎの晴れた週末、私たち三人は羽田から札幌に向かう飛行機に乗りこんだ。

空港にあらわれた義母は、ぎょっとするほどめかしこんでいた。衿《えり》と袖口《そでぐち》が毛皮のオーバーを早々と着こみ、薄紫の帽子をかぶり、オーバーの下は帽子と同じ薄紫のツーピースで、ヴィトンの旅行鞄《りょこうかばん》を持っていた。五メートル先までにおいそうなくらいの香水をつけ、正視を避けたくなるほど化粧が濃かった。

「私、飛行機に乗るのはじめて。どきどきするわ」と言いながら、空港で買った焼き鯖寿司《さばずし》を機内の狭いテーブルに広げ、私たちにも食べるよう勧めた。窓に額をくっつけては「まあ、雲の上を飛んでいるわよ！」と素《す》っ頓狂《とんきょう》な声を出したり、「なんだか耳が、耳がきーんとするわ、耳がきーんと」としつこいほどくりかえしたり、明らかにはしゃぎすぎだった。新千歳《しんちとせ》空港から札幌市内にいくときも、「まあ、雪が！　見て、雪があんなに！」と、私の手首を引っぱって窓の外を指し、「日本は狭いなんていうけどやっぱり広いわ、こんなに寒いんだものね」とヴィトンの鞄から使い捨てカイロを十個ほど取り出して、私たちの膝《ひざ》に並べたりした。

ホテルは二室とってあって、私と義母、でも、義母と洋文、でも、組み合わせはどうでもよかったのだが、義母が、「やっぱり夫婦は同じ部屋じゃなきゃ。夫婦なんですから」と言い張って、自分はシングルの部屋に向かった。

「おかあさん、なんかへんだね」部屋に二人きりになってようやく、私は洋文に言った。

「おれもそう思ってた。化粧もすごいし、ひょっとして呆《ぼ》けがきてるのかも」洋文は荷物も解かず、部屋に突っ立ってつぶやく。洋文は父親を見ているからか、認知症をひどくおそれており、何かというとすぐに「呆けはじめたのかも」と言う。

「そんなことないよ、ぜんぜんしっかりしてるじゃん。出かけるのひさしぶりで、ちょっと浮かれているんじゃないの」

「だといいんだけど」

「でもいいことだよ。前は外に出ようとしなかったんだから。表情も生き生きしてるし」

　コートや着替えをクロゼットにしまいながら言うと、洋文はまだ部屋に突っ立ったまま、じっと私を見ている。「何よ」と訊《き》くと、

「きみ、おれのおふくろにはやさしいな」と、ぽつりとつぶやいた。

「何よ、どういう意味」

「どういう意味も何もないよ、率直な感想だよ」そう言うと、やっと自分の荷物を広

げはじめた。

たしかに私は自分の母親より伊本幸子、洋文の母のほうが好きだった。義母のほうが自立しているし、人間的に品位がある。洋文と結婚した五年前、この人が義母でよかったと心から思った。つきあいが続くうち、この人が私の母ならばよかったのにと思うようになった。

私の母は週に一度電話をしてきては、定年後の父の立ち居振る舞いについて、放っておけば一時間は愚痴り、さらに放っておけば私に子どもを産む意志がないことを嘆き、自分の育て方が間違ったのかと延々言い募る。無視して電話を切ろうものなら手紙がくる。つながった細かい字で、はたして自分に生きている意味はあるのか否か、といった自問自答が、綿々と綴《つづ》られている。電話を乱暴に切り、手紙をびりびりと破く私を、洋文は珍獣を見るように見ている。義母のような母を持った男に、私の苦労がわかるはずはないのである。

初日の夕食は、蟹《かに》食べ放題のレストランを予約してあった。少し散歩してからレストランに向かおうと洋文と話し合い、私は義母を呼びにいく。

部屋のインターホンを押すと、義母はほんの数センチだけドアを開けた。

「あの、夕食まで少し散歩しませんか。市場も近いし、このホテルを出ると狸小路《たぬきこうじ》ってアーケードが……」

言いかけた私の腕をつかみ、部屋に引きずりこんでドアを閉める。

「洋文には内緒にしてほしいんだけど」義母は上目遣いに言う。

「え、なんですか」

「私、会いたい人がいるのよ。それでね、この旅行のあいだにその人をさがしあてたいんだけど、匡子《きょうこ》ちゃん、手伝ってくれない」

「会いたい人？　さがすって？」

意味がわからず訊くと、義母は部屋の奥に進み手招きをする。壁に向かって置かれたデスクに、パンフレットのようなものが広げられていた。義母はそれをさっと隠すと、デスクの前の椅子《いす》に座り、「本当に洋文には言わないでね」と念押しし、ちらりとまた上目遣いで私を見て、

「ずっと昔におつきあいしていた人が、札幌に住んでいるらしいの」と、言った。

「はあ」意味はわかったが、なんと言っていいのかわからず、私は曖昧《あいまい》な相づちを打つ。

「調べてもらったの、探偵事務所で。今ってすごいわね。なんだってわかるのね。こわいくらいね。あのね、会ってどうこうしようなんて思ってないの。ただ、ちょっと遠くからでも、姿を見てみたいなってそのくらいの気持ちなの。見るだけでいいのよ、ほんと。札幌の、タウン誌を出している出版社に三年前までいたっていうことまでは

わかったんだけど、そのあとがわからないの。その後ご自宅は引っ越したらしいんだけど、どうも住民票を移していないらしいのね。だからね、明日はそのタウン誌の会社を訪ねてみようかと思うんだけど、いっしょにいってよ、匡子ちゃん」

「でも明日は、小樽《おたる》ですよ。洋文くんの予定では」

「小樽なんか、べつに私、いきたくないもの。あの子がひとりでいけばいいじゃないの。あのね、へんな意味じゃないのよ。ただ元気かなあって、元気なら見てみたいなあってそのくらいの気持ちなの。でもほら、あちらにもご家庭があると思うのね、そうするとへんな意味にとられかねないっていうか……」

と、そこまで義母が話したとき、インターホンが鳴った。洋文だった。ドアを開けると、

「どうしたの、呼びにいって帰ってこないから。もう出ようよ」

しびれを切らしたように言う。

「はいはい、今出ますよ、すぐ出ましょうね」

義母は私に目配せすると、オーバーを腕に引っかけ、もう一方の腕を私の腕にからめてきた。ぷん、と香水のにおいが鼻を突く。

洋文には内緒にして、と義母は言ったけれど、その日の夜、私は義母の旅の目的を

洋文に話してしまった。おそらく二泊三日、洋文が綿密に立てた計画に義母は参加する意志はないのだろうし、だとしたら、正直に話してしまったほうが面倒がなくていい、と思ったのだった。それに、義母と洋文の関係を見ていると、「昔おつきあいしていた人を一目見たい」という義母の気持ちを、洋文はすんなり受け入れると思った。当初の目的とは異なるが、その「彼」さがしに二泊三日を費やすのもおもしろいではないかと、きっと洋文は考えると。しかし私の話をすべて聞き終えた洋文は、「ウエッ」と顔をしかめた。

「あいつ、親父《おやじ》が死んでしおれてると思ったら、そんなことしてたのか。家に閉じこもって昔の男の行方調べてたのか」

と、「あいつ」呼ばわりである。

「それはちがうでしょ、おとうさんが死んでかなしくって、それで前に親しかった人の生死も気になって調べたんじゃないの。いいじゃん、協力してあげようよ。べつにどうこうするつもりはないって言うんだから」

洋文は大げさにベッドに倒れこむと、リモコンでせわしなくテレビのチャンネルをかえ、

「つーかさあ」と言ったまま、なんにも言わなくなった。テレビは家でよく見るニュース番組をやっている。空調の音がかすかに聞こえる。私はなんとなく隣の部屋に耳

を澄ませる。義母はもう眠っているのか、物音は聞こえてこない。

「とりあえず明日は、おかあさんにつきあってあげようよ」

洋文は答えず、うー、と低くうめきながら風呂場《ふろば》に向かった。ベッドにもぐりこむとシーツがひりひりと冷たい。部屋の明かりを落とすと、テレビ画面の色彩が部屋じゅうに広がった。

翌日、バイキングの朝食の席に洋文はこなかった。私は義母と向き合って、スクランブルエッグや塩鮭《しおじやけ》や、いくらおろしや松前漬けや、でたらめに盛った皿をつついた。

「あの、すみません、洋文くんに、言っちゃいました」正直にうち明けた。「今日、別行動をとるってのもなんなんで」

叱《しか》られるかと思っていたが、案外義母はあっけらかんと、

「やあだ、言っちゃったの。なら仕方ないわね。じゃ、あの子も手伝ってくれるわけ?」と訊いてくる。

「はあ、手伝ってくれると思います」と、私は答えた。

十時過ぎに三人でホテルを出た。義母は帽子こそかぶっていなかったが、昨日と同じ厚化粧、大量の香水、オーバーの下はモスグリーンのツーピースだった。

空気は冷たく、すぐに鼻の頭がじんと痛んだが、空はきれいに晴れ上がっていた。洋文は不機嫌そのもので、ポケットに手をつっこみ、私と義母の数メートルあとをついてくる。義母はそんな洋文にかまわず、「さっきホテルの人に住所を見せたらね、歩けないこともないけど、いったん大通《おおどおり》にいって、それから地下鉄で中島公園駅で降りたら近いって」と、私の腕に腕を絡ませ弾んだ声で言いながら、ずんずん歩く。ときどきふりかえり、「ひろちゃん、ごはん食べてないんでしょ、おなか平気?」と笑顔で訊くが、洋文はそっぽを向いて無視した。

洋文が、そんな子どもじみた態度をとるとは予想外だった。洋文と義母は、私からは非常にさばけた関係に見えた。義父が亡くなってから、洋文も兄の昌弘も、中高年の出会いをプロデュースするパーティにいってみたらどうかと勧めていたし、義父のかつての浮気疑惑について陽気に話したりもしていた。

すねている洋文は、なんとなく私をむかつかせた。義母とその思い人を何がなんでも再会させて、焼けぼっくいに火がついてしまえばいいと願いそうになった。私は義母に嫉妬《しっと》しているのかもしれなかった。

地下鉄に乗るために階段を下りると、なんだか地下帝国のように地下街が広がっている。若い男女が、地下のあちこちに座りこんでいるのが妙な景色だった。しかし義母はその奇妙さに気づくこともなく、ひっきりなしにしゃべりながら私の腕をぐいぐい引っぱり、洋文もまた、地下街の巨大さに驚くこともなく、不貞腐《ふてくさ》れたようについてくる。ホテルを決めるのにさんざん話し合ったし、自分たちの希望を盛りこんだスケジュールをたてるのに一週間もガイドブックを見続けたし、三人ぶんの旅費は二人で折半したというのに、今いるのが札幌だろうが練馬区だろうが、義母にも洋文にも関係ないようだった。

大きなお寺を通りすぎ、街道からのびる路地を入り、するとコンビニエンスストアがあり、その隣のビルの看板に、「みみずく出版」と出ていた。義母が依頼した探偵事務所の調査によると、その男は横浜にある造船会社に勤め、その後外国車輸入販売会社に転職し、そこで定年まで勤め上げ、その後札幌に移住、みみずく出版に五年ほど籍を置いていたらしい。と、駅を降りてからそのビルにたどり着くまでに、義母が説明してくれた。定年後、なぜ札幌なのか、なぜタウン誌の編集なのか、そのあたりのつなぎ目がよくわからなかったが、よくわからないのは義母も同じだろう。

「でも、どうするんですか、おかあさん」ビルの向かいに立ち、私は訊く。ずっと黙ってあとについてきた洋文は、コンビニエンスストアの灰皿の前で煙草《タバコ》に火をつけ、ガイドブックを開いている。

「どうするって、乗りこんで訊いてくるわ。個人情報がどうのって言ったって、知り合いだって言えば教えてくれるでしょう。だって嘘《うそ》じゃないもの。本当に知り合いなんだもの」

義母は青空を映すビルの窓を見上げ、これから絶叫マシンに乗るような表情で言う。

「でも、じゃあ本人に連絡をとって確認しますって言われたら？　おかあさんが訪ねてきているって本人にばれちゃいますよ」

「そうねえ、それはねえ」義母はビルを見上げたまま、やけにのんびりした口調で言う。

「じゃあ、私がいってきます。なんとかうまく言って聞きだしてきますから、さっき通りすぎたところに喫茶店ありましたよね？　そこで洋文くんと待っててください」

私は言い、ビルに向かう。いっしょにきてもらってよかったわあ、と言う義母のつぶやきが背後で聞こえた。


札幌でも練馬でも、本当に大差ない喫茶店で、私と洋文は並んで座り、居心地悪くコーヒーを飲んでいる。私たちのほかは、窓際の席に初老の男がひとり新聞を広げているだけだ。エプロンを掛けた中年男性は、カウンターの椅子に座って天井近くに設置してあるテレビを口を開けて見ている。先ほどからまったく切れ目のない義母の話が、彼らに聞こえているのではないかと私は幾度か様子をうかがうが、男も店主も、聞こえていないのかそういうふりをしているのか、新聞とテレビから顔を上げる気配はない。そうして様子をうかがうたび、洋文と目があう。

義母のさがしている男性、藤枝秀一郎《ふじえだしゅういちろう》の所在は、あっけないほどかんたんにわかった。藤枝さんの元でかつてアルバイトをしていて、たいへん世話になったのだと説明すると、応対に出てきた出版社の女性は疑いもせず、友人の母親のように陽気な馴《な》れ馴れしさで、個人情報云々《うんぬん》などと思いつく様子もなく、見ず知らずの私に向かってあれこれとまくしたてるように話した。彼女曰《いわ》く、藤枝さんは社員ではなく、札幌移住体験の短いコラムを書いており、ときたま暇つぶしに編集部に顔を見せたが、三年前の連載終了とともに姿を見せなくなって、今ではだれも連絡をとっていない。しかし藤枝さん行きつけだった飲み屋が大通公園の近くにあるから、そこにいけば会えるのではないか、会えなくともそこの店主が連絡先くらいは知っているはずだ、何しろ釣り仲間だったから、ということだった。正確にいえば、居場所がわかったわけではない。しかしわかったも同然である。このまま大通に引き返し、「きらく亭」というその飲み屋を訪ねれば、今日じゅうに藤枝さんにたどり着くことができるだろう。本人に会えずとも、住所くらいは聞き出せるのではないか。

と、喫茶店で待っていた母子に話すと、洋文は押し黙ったまま、義母はべらべらとしゃべりはじめた。今までずっと塞《せ》き止められていた水が、勢いよくあふれ出るみたいに。

伊本幸子は高校卒業後、東京に出てきて繊維工場で経理をやっていたらしかった。ちいさな工場で、経営者夫婦が幸子のような上京者に自宅の部屋を間貸ししており、その経営者宅にしょっちゅう近所の大学の学生が遊びにきていた。藤枝秀一郎はそのなかのひとりだった。幸子が十九歳のときに交際がはじまり、幸子は結婚するものだと信じていたものの、大学を卒業した秀一郎は造船会社に就職し、その会社の一人娘と見合いをして結婚を決めてしまった……というような話で、たぶんに義母の主観も入っていると思われ、それでもその話だけならば「ふうーん」と聞き流せるが、義母はなんと真っ昼間の喫茶店で、初体験がその男であったこと、二十歳《はたち》のときにその男の子どもを身ごもったが説得されて堕胎したこと、そうまでしたのに捨てられたこと、捨てられても忘れられずに新婚家庭に押しかけたこと、邪魔をしないでほしいと藤枝秀一郎に土下座されたこと、まで話しだしたのである。なんだか陰惨な話だなあ、と私は内々で思うのだが、義母のなかではいい具合に昇華されているらしく、堕胎も土下座も「そういう時代だったし」「男は出世を望むものだし」「あれはあれで誠意なんだと思うの」と乾いた口調で話すのだった。

まわりをうかがうたび目の合う洋文は、熱すぎる湯に浸《つ》かっているように眉間《みけん》に深くしわを寄せていた。ついさっきまで、母親のかつての恋に批判的な洋文の態変に苛《いら》ついていたが、今では彼の気持ちのほうがよくわかる。いくらさばけた関係だとはいえ、実の母親から、処女だとか初体験だとか堕胎だとか聞かされるのは、生々しくてやりきれないだろう。彼はいらいらと煙草に火をつけては消し、面倒そうに首をふっては砂糖の壺《つぼ》をいじり、興味がなくなったふりをしてはテレビを見たりしているが、義母は話しやめる気配がまったくない。

「でも、なんだか話を聞いてるとずいぶんひどい男だと思いますけど。本当に会いたいんですか？　このまま予定を元どおりにして小樽にでもいきませんか？」

放っておいたら閉店まで過去の恋愛話を続けそうだったので、私は笑顔で遮った。話の腰を折られた義母はきょとんとして私を見、

「あら、いきましょうよ、その飲み屋さん。明日には私たち、帰らなきゃいけないんじゃない？　だったら今日しかチャンスはないじゃないの」

と、勘定書を手にし、椅子を倒さんばかりの勢いで立ち上がった。

地下鉄はさっきよりも混んでおり、席は空いていなかった。シルバーシートに座っていた若い男の子が、義母を見て立ち上がり、義母は照れくさいような笑みを私たちに向けて、そこにちんまりと座った。

「おれ、ホテルに帰ってようかな、気分悪くなってきた」隣に立つ洋文が言う。

「でもさ、乗りかかった船なんだし。遠くから見るだけでいいって言ってるんだし」

義母をちらりと見ると、じっと目を閉じている。

「だってきみ、想像してみてよ。自分の母親があんなどろどろの色恋沙汰《ざた》を告白したら、どんな気がするよ」両手で吊革《つりかわ》にぶら下がるように脱力し、自分の靴を見つめて洋文は言う。

私は窓に映る濃い灰色を見つめ、今聞かされた話をもし自分の母がしたら、と考えてみる。結婚前に好きな人がいたの、その人の子どもを身ごもったんだけど捨てられたの。まさしく昨夜《ゆうべ》の洋文と同じく「ウエッ」と言いたくなる話ではあるが、しかし同時に、あの母が、そんなような話を私にしてくれれば、今よりはもう少し母のことを好きになれそうな気もした。「ウエッ」と思いつつ、今よりはつきあいやすくなるような気が。

そう考えて、私はふと思い出す。中学三年生のとき、図書館で借りてきた本を読んでいて、台所にいる母にわからない漢字を訊きにいったときのことだ。そのときなんの本を読んでいたかは覚えていないが、母が魚の内臓を出していたことは覚えている。母の指も包丁の刃も、まな板も赤黒く染まっていた。ねえ、これ、なんと読むの、と訊くと、母は首だけのばして私の手にした本をのぞきこんだ。それまではいつも、「それは『せいひつ』」「『こんりんざい』もう二度とって意味よ」と気安く答えていた母は、じっと本を見、それからじろりと私を見、「忙しいの。見ればわかるでしょ」と、ぴしゃりと言った。それから魚を下ろす作業に戻り、私が何を話しかけても無視した。母の突然の不機嫌と、魚の血とに気圧《けお》された私は、そのままごすごと居間に戻った。辞書でその漢字を引くのもいやになり、結局その本を読み通すこともやめてしまった。

ずうっと忘れていたそんなことを、札幌の町を走る地下鉄のなかで唐突に思い出し、そして気づく。ああ、あのとき、母は私の指し示す漢字が読めなかったんだなあ、と、なぜかそんなことを。

「うちの母がさっきみたいな話をしたとしたら、私はもう少しやさしくできるかもね」と、窓ガラスに映る洋文に向かって言うと、

「うそうそ。あんたはあの人に甘いだけ」

と、洋文は心底うんざりした顔で言った。

藤枝秀一郎のいきつけの飲み屋は見つかりはしたが、そんなにかんたんに本人の姿を拝むことはできないだろうと思っていた。何しろ常連客だったというのは三年前の情報なのだし、よしんば今も通っているとしても今日の今日、飲みにきているとはかぎらない。

大通駅にたどり着き、さっきの女性が書いてくれた地図を頼りに、時計台通りを直進し、デパートやファッションビルをいくつか通りすぎてパルコを目印に左折すると、

ごちゃごちゃとビルが並んでおり、そのビルのひとつに「B1きらく亭」という看板を見つけた。狭く暗い階段を下りていくと、シャッターが閉ざされ、入り口には段ボール箱が積み上げられていた。

「まあ、開店は五時ですって」

と義母が甲高《かんだか》い声で言った。たしかに、シャッターのわきに手書きの札がかかっており、「営業時間　午後五時〜午前一時」と書いてあった。

「五時まで時間をつぶすしかないわね」と義母は言い、

「昼飯食おうぜ、ラーメンかなんか」

あいかわらず洋文が不機嫌な声を出した。

もう一度時計台通りに戻り、すすきの方面に有名なラーメン屋があるのだと言う洋文について歩いていたのだが、だんだん空は薄曇りになり、空気の冷たさに耐えかねて地下におり、歩いているあいだに義母が「空腹すぎて気持ちが悪い。なんでもいいから食べたい」と訴えたため、地下街のラーメン屋に入ったものの、出されたのはあんまりおいしいラーメンではなかった。東京のチェーン店のほうがましだ、と私はこっそり思ったが、負け惜しみなのか気分を盛り上げているのか、洋文はうまいうまいと執拗《しつよう》にくり返しながら食べた。どちらにしても、義母は上の空で、店を出たとたん、今し方何を腹におさめたのかもわからなくなるだろうと思われた。

その後義母が、デパートの丸井今井にいきたいと言うので、地下食料品売場を三人でさまよった。ずっとぼんやりしていた義母は、ここで急に目をぎらつかせ、ほっけだの新巻鮭だの、いくらの瓶詰めだの蟹だのの試食ワゴンにぴたりと吸いつき、慎重に試食をしてから購入し、配送手続きをしていた。その生気のみなぎる様子は、いつも通りの——義父が亡くなる前の、私たちがいちばんよく知っている義母で、洋文は安心したのか文句も言わず、それどころか「あっちで北あかりのセット売ってたけど、買う？　好きだろ、ふかし芋」などと積極的に話しかけていた。

丸井今井の地下をさまようだけで時間は過ぎた。

「おれ、ホテル帰る。ちょっと疲れたし」

おもてに出るやいなや洋文は言った。

「ええ、ええ、帰んなさい。疲れたでしょうし、少し休んだらいいわ。私は匡子ちゃんとちょっとさっきのお店にいってくるから。夕飯、食べといていいわよ。私たちは私たちですませるから」

義母は言い、がっしりと私の腕をつかむ。さっき化粧なおしに立ったトイレで、また大量にふりかけてきたらしい香水が、つーんと漂う。

「ういっす」洋文は短く言って私たちに背を向けた。すっかり陽の暮れた、ネオンの弾《はじ》ける道を、肩を落とした洋文の後ろ姿が遠ざかる。

「かえってよかったわ。ね、いきましょう、匡子ちゃん」

義母は自分を鼓舞するかのような声を出し、私の腕を引いて歩きだす。決して会うことのかなわない女学生の義母といっしょに歩いているようだった。

「私ね、試してみたいことがあるの。黙ってあなたと飲んでるの。そこへあの人がくるとするじゃない？　そうしたら私に気づくかどうか。ねえ、どう思う」

「でもくるとはかぎりませんよ。だいたいそんなにすんなりいくとは思えないなあ」

「いいえ。くるような気がする。私の勘って当たるのよ。ねえ、私に気づくと思う？」

厚化粧をしていても義母の鼻が赤くなっているのがわかる。

「えー、気づくんじゃないですか」

あまりの寒さのために、私たちは体に体をこすり合わせるようにして、小刻みに歩く。そんなふうに歩いているのは私たちだけで、人々はみな、会話したり携帯でメールを打ったりしながら颯爽《さっそう》とすれ違っていく。

「そうかしら。私は気づかないと思うの。ねえ、賭《か》けない？　賭けようか。私、さっきタラバのいちばん高いの買ったんだけど、もし匡子ちゃんが勝ったら、あれ、おたくに届くように配送変更の手続きするわよ」

最初は、遠くから姿を見るだけでいいと言っていたのに、ずいぶん大きく出たものである。この数時間の内にすっかり盛り上がってしまったらしい。次第に私も、なんとなくその男を見るのが楽しみになってきていた。そこで会えるとはかぎらない、と思っていたのに、どうしても会ってもらわなければならないような気持ちになってきた。

「いいですよ、じゃあ賭けましょう。ぜったいに気づくに決まってると思う」

私はそう言いながら、またちらりと母のことを思い出す。あのとき、魚を調理していたあのとき、その漢字、おかあさんわからないわ、と笑ってくれていたら、私は母をもっと好きになっていたんじゃないかなどと。

雑居ビルの地下にある「きらく亭」は、民芸品店のような飲み屋だった。至るところに古びた置物や人形や楽器が置かれ、テーブルもカウンターも壁もみな焦げ茶で統一され、低くランプが灯《とも》っている。客はまだひとりもおらず、カウンターには日ハムのキャップをかぶった中年男性がいるきりだ。奥まった四人掛けの席に座り、ビールとつまみを何点か注文する。

「お客さん、東京から？」注文を取り終えた店主は、テーブルのわきに立って愛想よく訊く。義母はうつむいてスカートの裾《すそ》を引っぱっているばかりなので、そうですと私が答えると、

「やっぱりね、垢抜《あかぬ》けてるもん、都会の人だと思ったんだよな」

とってつけたように言ってカウンターに戻っていった。

「ねえ、匡子ちゃん、あの人がビールを持ってきたら、藤枝さんはよくくるのかって、訊いてくれない？」

「いいですけど、ばれちゃいますよ、賭けが成立しなくなっちゃう」

「いいわよ、賭けなんかどうでも。ねえ、訊いてよ」

小声で義母は言う。真剣な顔をしている。時間の経過とともに、こわいものがひとつひとつ減っていくようである。ビールを運んできた日ハム店主に、

「あのう」だから私は話しかけた。「藤枝さんって男性のお客さん、よくここにこられますか？」

「えっ、お客さんたち、藤ちゃんの知り合い？　なあーんだ、そうだったの。そうだよねえ、東京の人がガイドブックにも載ってないこんな店に、ふらりと飲みにきたりしないよねえ」店主はますます愛想よく笑い、「藤ちゃん、このところとんときていないけど、なんだったら電話しようか。携帯知ってるから、呼べばすぐくるでしょ」

と、色あせたエプロンのポケットから携帯電話を取り出す。

「いいわ、いいんです。そこまで親しいわけじゃないから。呼んでもらうほどのことはないんです」義母はいきなり立ち上がって主張したが、店主は私たちに背を向け、携帯電話を耳に当てている。「お願い、私のことは言わないで、知り合いがきたとは言わないでくださいっ」義母は店主の背中にすがるように言う。店主は肩越しに片手

でピースサインを作りながら、カウンターの内側に入っていってしまう。

「どうしよう、どうしよう匡子ちゃん」

厚化粧の義母は席に座り、テーブルに置いた私の手に手を重ねて泣きそうな声を出す。泣きそうでもあるが、興奮が極まっているようでもある。

「くるってよ、藤ちゃん」カウンターの内側から日ハム店主がもう一度ピースサインを作る。それを聞くと、ひゃあっ、と義母は悲鳴のような声をあげ、両手で頰《ほお》を包んだ。どうしよう、どうしよう。つぶやき続ける義母を無視して、

「藤ちゃんもねえ、奥さん亡くなってから釣り誘ってもぜんぜんこないの。東京からお友だちがきたら少しは元気になってくれるんじゃないの。あそこんちはほら、お子さんも遠くにいっちゃってるしさ……」ひとりごとのように言いながら、店主は何か調理をはじめている。

「匡子ちゃん、どうしたらいいかな。しらんふりして座ってればいいかな。どうしよう、でも人違いかもしれないし、ねえそうよ、人違いかもしれないわねえ？　だってあの人、故郷は四国のはずなのに北海道になんかいるはずがないものねえ」

義母は、まるきり女学生に戻ってしまったようにあたふたと言う。畳んで置いたオーバーを落とし、拾い上げてまた畳み、ハンドバッグからコンパクトを取り出して落とし、拾って開けてまた落とす。そんな義母を見ていたら、なんだか急に白けた。さ

っきまでの興奮が急激に醒《さ》めていく。夜空の下、背を丸めて歩いていった洋文のことを思い出す。私がいっしょにいてやらなければならないのは、この女ではなく彼ではないのかと、頬をはたかれたように思う。気づいたら立ち上がっていた。

「おかあさん、だいじょうぶですよ。あとは二人で話したほうがいいですよ。私は洋文さんが心配だから帰ります。それじゃ、あとで。道わかんなくなったら携帯に電話ください」

早口で言い、義母が引き留めるのも聞かず、追いすがる手も振り払うようにして、私は店を出て階段を駆け上がった。私の名を呼ぶ義母の声がちいさく聞こえたが、ふりかえらずに通りに向けて走った。


ホテルで服を着たまま眠っていた洋文を起こし、近くの居酒屋に向かう。寝ぼけて私の言うままに歩く洋文は、ちいさな子どものようだった。チェーンの格安居酒屋とあまり変わらない店に入り、カウンターに並んで座り、刺身やほっけやじゃがバターを頼み、ビールで乾杯をする。店内は混んでいて、客の声がわんわんと反響していた。洋文からは、あのあと義母がどうなったのか意地でも訊いてこないだろうと思ったので、つまみが運ばれてくるまでのあいだ、「きらく亭」でのことを勝手に話した。

「だから、今ごろ会ってるよ。よかったよね」

「明日でもう帰るんじゃんよ。今日、何したよ？　喫茶店いって薄いコーヒー飲んで、寒いなか歩いて、地下鉄乗って、食料品売場いっただけだぜ？　そんなら銀座歩けばいいって話じゃん。ったく、休みとって、高い金も払って連れてきたっていうのにさあ」

洋文はビールに覆い被《かぶ》さるようにしながら、ぶつぶつと言う。

「ねえ、見にいってみようか」

「やだよ、気色悪いよ、いい年したばあさんがさあ」

若い女の子が料理を運んできて、さっそくじゃがバターに箸《はし》をのばした洋文は、「んまっ」と叫んだ。ラーメンと同じくそれも過剰な反応かと思ったら、本当においしかった。私たちはしばらくのあいだ夢中で料理に箸をつけ、おいしいね、おいしいね、と言い合った。洋文はきっと、母親とこういうことをしたかったんだろうと思った。お寿司を食べておいしいね、と言い合い、小樽の運河沿いを見てきれいだね、と言い合い、羊ヶ丘にいって一面雪だね、と言い合いたかったんだろう。母と。

洋文のすねた態度にも暴言にも、私はもう苛つくことはなかった。義母に嫉妬を覚えることもなかった。ただなんだか、隣に座ってハイペースで飲んでいる自分の夫を、力の限り胸に抱きしめてやりたいと思った。母を放棄した母をはじめて見たのであろう、この気の毒な男を。そうして、そんな気持ちがなんだか母のようであると気づいて苦笑する。母になったことなどないのに、またなるつもりなど毛頭ないのに、私は自分の内にいるちいさな母を知っているような気になる。ひどく気まぐれに子どもを抱いたり、頰ずりをしたり、言うことを聞かせたり、ふいと背を向けたり、ふっと姿を消したりする。実の母に反発しているのはきっと、このちいさな母なのだ。母が支配しようとしているのも、私ではなく私の内の母なのだ。酔いのまわりはじめた頭でそんなことを考える。

「あっ、泣いちゃったの」

おしぼりで顔をごしごしとこする洋文をからかうと、

「だれが泣くかよっ」

私に向かっておしぼりを投げた。

店を出ると、あたりはしんと静まり返っていた。歩く人の姿もない。路地に、店々のネオンの明かりがひんやりと落ちている。私と洋文はポケットに手を突っ込み、コートの衿に首を埋めるようにして、ぴったりと寄り添って歩いた。

「おかあさん、帰ってるかな」

「知らねえよ」

明日、洋文のいないところで再会の顚末《てんまつ》を訊こうと決める。あーあ、夜空に向かって声を出すと、息が湯気のように広がった。

あとがき

今から八年ほど前、本屋で一冊の本を手に取った。ジョン・アップダイクほか著／兼武進訳『母の魂』（飛鳥新社）というのがそれで、ここには、十四人の書き手が母の死にまつわるエッセイを書いている。とてもすばらしい本で、読み応《ごた》えがある。私はこの本を読みながら、エッセイではあるが、これはみな、母と息子の物語である、しかも、息子の側からしか語り得ない物語である、と思った。もしこのアンソロジーの書き手が全員女であって、彼女たちが母の死にまつわるエッセイを書いていたら、まったく違う物語が生まれるのではなかろうか、とも考えた。さらに、「死」を介在させないとしたら、それもまた、まったく異なるものになったろう、とも。

この一冊が私に考えさせてくれた、そのようなもろもろが、この一連の小説を書くきっかけになった。母、というものはいったいだれであるのか。書きながら、いつのまにかそんなことを考えていた。

時間のやりくりが下手《へた》で、一冊にまとめるのに、ずいぶんと長くかかってしまった。

まったく奇妙な符合だが、母についての小説を書いている四年間のあいだに、私の母が病に倒れ、二カ月もしないうちに亡くなってしまった。その死の前と、死のあとで、私の、母に対する考え方や思いといったものも、ずいぶんと変わった。現実の母親というものだけでなく、母という存在一般に対しても、である。母親が生きているからこそそこにある関係というものもあれば、死を介在してしかわかり合えないところもあるらしいと学んだ。しかしながら、何を体験しようとも何を学ぼうとも、母とはいったいだれであるのか、それはあいかわらず茫漠《ぼうばく》としてわからない。母が亡くなってますますわからなくなったような気がする。ただわかるのは、私と母との関係は、失敗も悔いも苦々しさをも含め、代替のきかないものであるということで、母、と思うとき、つまりはこの関係のことを私は思うようである。

四年間にわたって、書く場所をあたえてくださったすばる編集部の水野好太郎さん、文芸編集部の八代有子さん、どうもありがとうございました。読んでくださった、だれかの娘であり息子である方々にも、深くお礼を申し上げます。

二〇〇七年九月

角田光代

解説

「母」という謎

斎藤　環（精神科医）

母と娘。角田光代さんの小説には、しばしばこのモチーフが選ばれます。『空中庭園』（文藝春秋）における祖母―母―娘の三代にわたる葛藤。あるいは『八日目の蝉』（中央公論新社）における、不倫相手の子の誘拐にはじまる奇妙な母娘関係。なかでも本書『マザコン』は、母という存在の不可解さを、娘や息子、あるいは息子の妻といった複数の視点から、リアルに描き出してくれます。

「あとがき」にもあるように、角田さんがこの本のテーマを構想したひとつのきっかけが、『母の魂』（飛鳥新社）だったといいます。これはジョン・アップダイクら十四人のアメリカの作家が、母の死について書いたエッセイ集なのですが、書き手がすべて男性でした。角田さんはこの本を素晴らしいと感じつつも、どこか違和感を感じていました。

その違和感について角田さんは、私との対談の中で、こんなふうに表現されていいます。「愛とか憎しみとかがすごくくっきりしている感じ」や、一種の「単純さ」、あるいは女性にはない「優しさ」、と（ＮＨＫ出版ＷＥＢマガジンＴｏｐｉｃｓ　角田光代×斎藤環　母は娘の人生を支配する）。

これは私なりの理解では、母と息子の関係においては、互いに全てを肯定しあえるような単純さがあるけれども、母と娘との関係はいくつもの屈折をはらんでいて、無条件の肯定はむずかしい、というふうにもとれます。

それでは、そもそも「母」とはなんなのか。

角田さん自身にも、明快な「母の定義」があるわけではありません。むしろ母という存在の「わけのわからなさ」が問題だったと、先の対談で言われています。とりわけ「母親になる前の母親がいた」ことに「すごい不思議な感じ」を覚え、その「わけのわからなさにより惹《ひ》かれていった」とも。

そう、母という存在は、娘にとっても「謎」なのです。逆に男たちには、その「謎」さ加減があまり理解できません。ただ〝娘たち〟が「母という謎」に共感しあうさまを見て、ぼんやり「あそこに何か大きな謎があるらしい」と想像するだけなのです。

私はかつて著書『母は娘の人生を支配する』（ＮＨＫ出版）において、次のように書きました。「母―娘関係」は、「母―息子関係」「父―娘関係」「父―息子関係」のいずれとも異なった特異な関係である、と。そこには独特の葛藤や困難がありましたが、その関係の解明は、いまだ十分になされたとは言えません。

「女性作家ならでは」という表現はあまり使いたくないのですが、この「母娘関係」という領域だけは、女性にしか書き得ないと考えています。そもそも男性には、その関係に対してまったく共感できないという限界がある。しかし女性は、その関係が孕《はら》むであろう謎も毒も、いったん自らの無意識をくぐってきた言葉で表現できる。男性にはとうてい、太刀打ちできません。

娘にとっても謎であるような母の存在。さきほどの角田さんの言葉にならうなら、それは「母が母になる前」の謎であり、「母が母をやめた後」の謎でもあるのでしょう。本書に収められた短編で言えば、前者は「初恋ツアー」、後者は「雨をわたる」がそれにあたるでしょうか。

「雨をわたる」では、セカンドライフと称して東南アジアのある島に移住した母親を娘が訪ねます。かつてとは人が変わったように異国での生活を楽しんでいる母親を見て、娘は言いしれぬ苛立《いらだ》ちを覚えます。もう母の潔癖症や愚痴にうんざりしたり、同居の心配もしなくて良くなったにもかかわらず。

この「苛立ち」はどこから来るのでしょう。

母の思い出には独特の感情がある、と角田さんは言います。それは単なる切なさや郷愁だけでは語りきれないプラスアルファで、「もうあの時間には戻れないんだなあ」という感じ、それが罪悪感に結びついている、と。

「雨をわたる」における娘の苛立ちは、この罪悪感と関係があるようにも思います。そこにはおそらく、母による娘支配の特異な性質をみてとることもできるでしょう。

そう、母娘関係とは、しばしば母による娘の支配というかたちをとりがちです。ただしそこには、父息子関係にあるような、露骨な権力闘争はありません。むしろ、奉仕が支配の手段となってしまうような、男性には不可解な錯綜した影響関係があるのです。

この視点からみてとりわけ印象的な作品は「パセリと温泉」でしょう。

胃癌の手術で入院中だった母親が、おかしなことをいい出した、との連絡を受けて、娘は病院に駆け付けます。母親は自分が今温泉に来ていると思い込んでいて、あれほど嫌っていた父の妹に招待されたと喜んでいる様子です。

娘は病院のレストランでサンドイッチを注文し、添えられていたパセリを無意識に残して、それがかつて母にしつけられた癖だったことに気づきます。もともと母親は万事につけ被害者意識が強く、自分の不幸をすべて、誰かの悪意のせいにするところがありました。皮肉にも、術後の混濁した意識の中で、母親はむしろ「まとも」になっているのではないでしょうか？

当の娘自身、結婚できなかったことや友人がいないことを、すべて母親のせいにしてきました。しかし、そんなふうに「誰かのせいにする」考え方そのものが、母と瓜《うり》二《ふた》つだったとしたら？　娘は母親による骨がらみの支配に気づいて愕然《がくぜん》とします。母による娘の支配は、反抗や反発の身振りそのものを無効にしてしまうような、根の深いものです。戦おうにも、戦い方すら相手に教わった通りでは、とうてい勝ち目はありません。母による支配とは、このように複雑に入り組んだ形で、しかも無意識になされてしまうものなのです。

ここでもうひとつの短編「ふたり暮らし」に目を転じてみましょう。

ここに描かれているのは、ある種の復讐、にも思えます。しかしそうだとすれば、こんなにも寂しい復讐譚がかつてあったでしょうか。

互いに「ノブちゃん」「クーちゃん」と呼びあう、三八歳の娘と七〇歳の母親。同居するふたりの関係は、「男の人にはわかんない」ような細やかな共感によって結びつけられています。買いもののあとの「いいこと」が起きそうな感じ、プレゼントの箱のリボン、新品の本のにおいなど。

二人の間には、隠し事はなにもありません。娘は母親の前で、買ったばかりの下着を身につけて見せさえします。一緒に買いものをする二人をみたら、いわゆる「一卵性母娘」にみえるかもしれません。

娘には、妹が一人います。妹は姉と違って反抗的でした。日記や手紙をチェックし、男の子からの電話も取り次がず、進路についても干渉してくる母親に反発して、家を出て行ったのです。母に逆らうようにさっさと結婚し、子供たちも放任で育てています。

しかし姉である娘からすれば、そんな妹の態度がおかしくてしかたがない。なんでも母の逆を行くことは、裏返しで母親に支配されているだけだからです。娘はさらにその逆を行きます。自ら進んで、母親による支配に甘んじ、母の意図を汲むかのように結婚も断念します。「母は私を自分だと思っているのだ」と娘は考え、同一化の心地よさに身を任せるのです。

もはや結婚も、外の世界も、自分にとっては価値がない。そう思い定めることで彼女が選択したのは、進んで母と同一化することでした。徹底的に同一化したときに、どうしても同一化しきれないあまりの部分が見えてきます。その「あまり」こそが、本当の彼女自身の欲望であり、彼女だけの世界であるということ。それが示唆されるラストの想像の寂しさはどうでしょう。

角田さんは「ふたり暮らし」について「読んでて胸が悪くなるような母娘関係を書きたかった」と言います。そのうえで、あのラストシーンについては「母親というのはふつうは年齢的に先に死にますから、その後でどうしていくのかというような――

まあ、希望とは絶対にいえないですけれど、それでも母から目を逸らすような別の出口っていうのを主人公に与えたいな、という気持ち」があったといいます。

私は本作を読むことで、母による娘の支配には、身体的な同一化が深く関わっていることを教えられました。女性同士だからこその100%に近い共感がもたらす、息詰まるような密着関係。母と娘という共同体を支えるのは、こうした感覚的な共感なのでしょう。しかし、それは同時に、母娘関係における親密さと困難の温床でもあるのです。

女の子へのしつけは、男の子の場合とは異なり、他人に気に入られるような身体の獲得を目指してなされます。このため母親による娘へのしつけは、ほとんど無意識的に娘の身体を支配することを通じてなされます。

このとき、まさに同性であるがゆえに、身体的な同一化すら、支配の手段になり得ます。同一化が高じれば、母親は時に、娘に自分の人生の生き直しすら期待するでしょう。こうした支配は、高圧的な命令によってではなく、時には献身的なまでの奉仕によってなされることもあり、支配に反抗する娘たちに罪悪感をもたらします。罪悪感を通じての支配は「マゾヒスティックコントロール」などとも呼ばれます。

しかし、母親による支配を素直に受け入れれば、自分の欲望は放棄して他者の欲望を惹き付ける存在（「おしとやか」で「可愛い」女性）という「女性らしさ」の分裂を引き受けなければなりません。それゆえ母親による支配は、それに抵抗しても従っても、女性に特有の「空虚さ」の感覚をもたらさずにはおかないのです。

このような「母の支配」を逃れることは、容易なことではありません。もちろん角田さんご自身のように、家を出て一人暮らしをはじめるのもひとつの方法です。しかし、さらに重要なことは、母親が「一人の不完全な女」（よしながふみ『愛すべき娘たち』白泉社）であると気づくことなのです。

実は本書に収められた短編には、そのためのヒントがいくつも含まれています。「初恋ツアー」のように、「母になる前の母」を知ること。「雨をわたる」のように、「母をやめた後の母」を知ること。「空を蹴る」や「鳥を運ぶ」のように、「母でなくなってしまった母」を知ること。

母の謎に触れることは、まるで冷水を浴びせかけられるような体験です。しかし、そうした体験を通じて母に「一人の不完全な女」を見るとき、私たちは支配からの解放と一抹の寂しさを知ることになるのでしょう。

初出誌「すばる」

空を蹴る　二〇〇四年一月号
雨をわたる　二〇〇四年一〇月号
鳥を運ぶ　二〇〇五年一月号
パセリと温泉　二〇〇五年九月号
マザコン　二〇〇六年一月号
ふたり暮らし　二〇〇六年七月号
クライ、ベイビイ、クライ　二〇〇六年一〇月号
初恋ツアー　二〇〇七年一月号

この作品は二〇〇七年十一月、集英社より刊行されました。

集英社文庫の好評既刊

みどりの月

角田光代

成り行きまかせではじまった、男女四人の奇妙な共同生活。別れの予感を抱えた夫婦の、あてのないアジア旅。明るく乾いた孤独とやるせない心の行方を描く作品集。

集英社文庫の好評既刊

だれかのことを強く思ってみたかった

角田光代／佐内正史

住宅街、駅のホーム、東京タワー……いつもと同じ日常、でもそこにしかない一瞬。写真家・佐内正史と角田光代がふたりで巡った東京を、写真とショートストーリーで描き出す。

集英社文庫

マザコン

2010年11月25日　第1刷　　定価はカバーに表示してあります。

著　者　角田光代《かくたみつよ》
発行者　加藤　潤
発行所　株式会社 集英社
東京都千代田区一ツ橋2-5-10　〒101-8050
電話　03-3230-6095（編集）
03-3230-6393（販売）
03-3230-6080（読者係）

印　刷　大日本印刷株式会社
製　本　ナショナル製本協同組合

フォーマットデザイン　アリヤマデザインストア　　マークデザイン　居山浩二

ISBN978-4-08-746630-0 C0193